NESTOR BURMA
EN DIRECT

LÉO MALET

NESTOR BURMA
EN DIRECT

SPÉCIAL-POLICE

ÉDITIONS FLEUVE NOIR
6, Rue Garancière - PARIS VIᵉ

Édition originale de cet ouvrage parue dans notre collection
SPÉCIAL-POLICE
sous le n° 570.

ISBN 2-265-01460-5

CHAPITRE PREMIER

DU LOUCHE LA-DESSOUS

Jeune et jolie, élégante et blonde, avec tout ce qu'il fallait pour s'asseoir et allaiter elle-même, le cas échéant, elle s'appelait Françoise Pellerin et exerçait la profession de speakerine à la TV. Par cet après-midi printanier de fin mars, installée au creux du fauteuil réservé à la clientèle, dans mon burlingue de la rue des Petits-Champs, elle m'exposait, avec une espèce de gêne, que, depuis environ deux semaines, un citoyen malintentionné lui téléphonait à n'importe quel moment de la journée pour la menacer de mort. Tel quel ! En conséquence, elle s'était décidée à faire appel à ma protection. Celle-ci lui étant acquise, je lui posai diverses questions, de pure routine. Se connaissait-elle des ennemis ? Non. Croyait-elle que ces menaces provenaient de son entourage professionnel ? Certainement, encore qu'elle n'ait jamais eu à se plaindre de ses collègues et vice versa. Avait-elle parlé de ces menaces autour d'elle ?

— Oh ! monsieur Nestor Burma ! fit-elle. Non, non. Je... j'ai eu trop peur... j'ai trop peur...

Et, brusquement, elle eut l'air très effrayé, en effet. Comme si elle venait de se rappeler qu'il lui fallait donner l'impression de l'être. Comme si le mot « peur » avait déclenché un certain mécanisme

— Ecoutez, dis-je, faisant comme si je n'avais rien remarqué, à mon avis, c'est un petit rigolo qui vous joue une farce ; mais on ne sait jamais. Vous avez bien fait de venir me voir. A propos, comment ça s'est trouvé ? Quelqu'un vous a vanté mes mérites ?

Elle n'avait pas prévu la question. Elle commença à bafouiller, puis son regard accrocha le téléphone :

— Oh ! j'ai consulté l'annuaire par professions, dit-elle.

— Bien sûr, acquiesçai-je, compréhensif en diable. Et parmi la douzaine de flics privés que compte Paris, vous m'avez choisi à cause de la télé. Mais oui ! Vous ne voyez pas ? (Elle ouvrait des yeux ronds.) Un réalisateur connu s'appelle Barma... Barma-Burma... (Je fis le geste de soupeser quelque chose dans chacune de mes mains.) ... Burma-Barma... Ç'a été déterminant.

— C'est ça, fit-elle, sautant sur la perche que je lui tendais. Enfin... ce doit être ça, rectifia-t-elle, pour ne pas avoir l'air trop goulue. Barma... Burma... Inconsciemment, j'ai dû faire le rapprochement.

— Eh oui ! Vous voyez à quoi tiennent les choses, hein ? Tenez, ! il y a un mois, j'ai fait arrêter un gangster. Involontairement, je peux vous l'avouer, quoique la presse m'ait tressé des couronnes. C'est comme qui dirait une histoire de poivrots. Nous étions dans le même bistrot des Halles, ce Mairingaud et moi (il s'appelait Mairingaud, Mairingaud-la-Meringue), nous nous sommes pris de bec, nous avons même échangé des coups de flingue (c'est lui qui a commencé), de fil en aiguille police secours a rappliqué et on s'est aperçu que ce Mairingaud constituait une excellente prise. Mon ami Marc Covet, du *Crépuscule,* un journaliste que vous connaissez peut-être... Non ? Ça ne fait rien. Vous ne perdez pas grand-chose. Marc Covet, donc, m'avait

prédit que cet « exploit » allait m'attirer des clients à
la pelle. Je n'en ai pas vu un seul, depuis cette date
Sauf vous, aujourd'hui, et mon « exploit » n'y est
pour rien. Une simple similitude de nom a fait
l'affaire... Mais revenons à vous. Voici ce que je vous
propose. Je ne peux pas m'attacher à vous jour et
nuit, mais pendant quelques jours je peux rester dans
votre sillage, et mener une enquête discrète autour
de vous. Je peux vous accompagner dans votre
boulot sans inconvénient ?

— Certainement.

— Vous êtes rue Cognacq-Jay ?

— Pour le moment, je suis aux Buttes-Chaumont
Aujourd'hui, c'est mon jour de congé Mais je
retourne aux Buttes demain après-midi

— Parfait J'y serai aussi.

— Vous savez, c'est un monde, ces studios. Vous
n'aurez qu'à me demander à la téléphoniste, au pied
du grand escalier.

— Entendu.

Nous réglâmes la délicate question des honoraires,
nous nous serrâmes la main, tous deux enchantés de
nos propres grimaces, et elle s'en alla Je la raccom
pagnai jusqu'au palier, ce qui nous fit traverser la
pièce où Hélène, ma secrétaire, surveillait le vol des
mouches. Lorsque la porte se fut refermée sur notre
visiteuse, j'invitai Hélène à se mettre à la fenêtre et à
regarder s'éloigner Mlle Françoise Pellerin. Elle ver
rait ainsi comment c'était fait, une menteuse vue de
dos

**

Dans la journée même, je glanai quelques tuyaux
sommaires sur ma jolie monteuse de bateaux Elle
n'était pas méchante, c'était le moins qu'on pût dire

Ses débuts relativement récents de speakerine n'avaient pas été encourageants. Ni encouragés. D'emblée, quelques critiques l'avaient prise pour cible. On ne lui avait rien passé : sa timidité, sa diction défectueuse, ses gestes un peu gauches. Mais tout ça, c'était de l'histoire ancienne. A la longue, elle s'était corrigée de ses défauts et, à présent, elle était tout ce qu'il y avait de satisfaisant, sans crier au miracle. On la disait aussi passablement ambitieuse, voire arriviste.

* *
*

Le lendemain après-midi, lorsque je m'annonçai aux studios des Buttes, j'eus du mal à me garer, tellement il y avait de bagnoles en stationnement rue Carducci Finalement, je réussis à glisser ma Dugat 12 sur le terre-plein, entre une modeste Dauphine et une Oldsmobile flambant neuve. A peine avais-je mis pied à terre que quelqu'un, qui traversait la rue en direction du *Télé-Bar,* me héla. Accompagné d'un jeunot à la moustache d'Auberpin et aux nougats en équerre, c'était René Lucot, le réalisateur

— Tiens ! Burma ! s'exclama-t-il, hilare. Quel bon vent ? Tu viens éclairer Loursais de tes conseils ? Il est en train de préparer sa prochaine *Cinq Dernières Minutes,* justement.

Claude Loursais, aussi, je le connaissais. Ça datait de la belle période du *Café de Flore.*

— Je passais dans le secteur. J'ai eu l'idée de venir dire bonjour aux copains.

— C'est gentil de ta part .. (Il fronça les sourcils derrière ses lunettes.) . C'est marrant, ça ne m'étonne pas tellement de te voir. Il me semble avoir entendu prononcer ton nom, il n'y a guère.

— Tu as peut-être confondu avec Barma, ricanai-je, en songeant que si ça continuait cette astuce deviendrait monotone.

Il me présenta son compagnon aux pieds plats Montbazin, de *France-soir*. Nous nous serrâmes la main. Le journaliste me bigla d'un air entendu Mon nom semblait lui dire beaucoup Là-dessus, nous allâmes nous accouder au zinc du *Télé-Bar,* et entamâmes une conversation à bâtons rompus, au cours de laquelle j'appris que Lucot répétait actuellement une « dramatique » écrite en argot par un certain Larville. Au bout d'un moment, le réalisateur me proposa de venir jeter un coup d'œil sur son boulot, et nous quittâmes le bistrot, y laissant le journaliste En passant devant la luxueuse Oldsmobile déjà remarquée, je ne pus m'empêcher d'observer à haute voix qu'il fallait qu'on gagne confortablement son avoine, à la Télé, pour se payer d'aussi époustouflants engins.

— Eh là ! minute ! protesta Lucot, en riant Cette bagnole, c'est Lydia Orzy, ma vedette, qui l'utilise effectivement, mais elle ne lui appartient pas Elle est au mec qui couche avec, un type plein aux as, proprio d'une chaîne de restaurants ou quelque chose comme ça et qui, des fois, la conduit jusqu'ici ou la fait conduire par un chauffeur Ça n'a rien à voir avec la Télé

Ainsi devisant, comme écrit l'autre, nous pénétrâmes dans les bâtiments de l'O R T F et atteignîmes la salle de répétitions des « dramatiques » Elle contenait six individus, trois d'un sexe, trois de l'autre· Deux des bonnes femmes, une rouquine artificielle et une brunette relativement authentique, pas mal toutes les deux, aussi bien de visage que de corps (j'appris plus tard qu'elles s'appelaient respectivement Lydia Orzy et Olga Maîtrejean ⎯ et

qu'elles se partageaient la vedette dans la production
de Lucot), deux des bonnes femmes, donc, dressées
l'une contre l'autre, s'engueulaient comme du pois-
son pourri La troisième porteuse de jupe (qui,
d'ailleurs, portait un falzar), et un petit bonhomme
étriqué, assis non loin des furies, suivaient sur une
brochure, et en branlant du chef, le texte qu'elles
débitaient Les deux actrices y allaient de bon cœur,
comme si elles vidaient une querelle personnelle. Les
deux autres personnages, des acteurs aussi, arpen-
taient le fond de la salle, repassant leur rôle A notre
entrée, toute activité cessa. Jovialement, Lucot
demanda si ça allait La script répondit que oui
L'étriqué quitta son siège et s'approcha du réalisateur

— Ce n'est pas tout à fait mon avis, dit-il en
baissant la voix et d'un ton maussade Elles en
rajoutent que ça en devient catastrophique Enfin…
Autre chose J'ai l'intention de concocter un texte de
présentation en langue verte, pour la speakerine. Ce
sera plus original que le topo habituel. Qu'en pensez-
vous ?

— Bonne idée, approuva mon copain, qui profita
de ce qu'il tenait le zigue sous la main pour me le
présenter Larville Enchanté Nous procédâmes à
un échange rapide de microbes palmaires, après quoi
Lucot, très « mâtre à bord », lança « Reprenons,
les enfants ! »

Ils reprirent, les deux mignonnes s'engueulant de
plus belle, sans tenir compte apparemment du texte
écrit Au bout d'un moment, je me retirai. Dans le
couloir, je tombai sur Montbazin, le moustachu de
France-soir Souriant, mais avec l'air franc d'un âne
qui recule, il me harponna

— Ah ! m'sieu Excusez-moi, je voudrais vous
demander au sujet d'un courant d'air

— Oui ?

— Vous ne seriez pas, par hasard, garde du corps de Françoise Pellerin ? Paraît qu'elle a reçu des menaces de mort ?

— Sans blague ? Qui vous a raconté ça ?

— Ben... v' savez, je suis journaliste, hein ?

— Vous ne tiendriez pas le tuyau de la principale intéressée, des fois ?

— Euh... c'est un courant d'air.

— Alors, un conseil. Garez-vous-en Vous pour riez vous enrhumer.

Et je le plantai là... Merde ! que je consente à me laisser mener en bateau par la speakerine, c'étaient mes oignons. Mais que cette fumiste associe à la plaisanterie un type comme ce Montbazin, je le digérais mal. Il ne m'avait rien fait, ce mironton, mais je ne le piffais pas, d'instinct. Il allait falloir arrêter les frais, ce serait certainement le plus sage

Ainsi ruminant, j'arrivai en vue de l'escalier au pied duquel ma cliente à la noix m'avait dit que je trouverais une téléphoniste qui me conduirait plus ou moins jusqu'à elle. La téléphoniste en question asticotait le standard lorsque je pénétrai dans son antre. Je lui demandai où se tenait la speakerine

— Ah ! vous êtes monsieur Nestor Burma, sans doute ? fit-elle, en me biglant comme une bête curieuse. Françoise vous attend.

Et avec le sourire qu'ils semblaient s'être tous donné le mot pour arborer, dans cette boîte, elle m'indiqua où. J'y allai.

C'était deux étages plus haut, dans une pièce obscure et encombrée. Installée à un guéridon pourvu d'une lampe de bureau, l'artificieuse môme Dubidon étudiait diverses paperasses ou faisait sem-blant

Elle m'accueillit avec le sourire d'usage, « bonjour-bonjour » et m'invita à m'asseoir. Je m'assis.

Sous son maquillage, ses traits altérés témoignaient qu'elle ne devait pas avoir particulièrement bien dormi, la nuit dernière. A ce détail près, elle était toujours aussi printanière, estivale même, portant une robe qu'on ne lui verrait pas dans l'exercice de ses fonctions, ce qui était regrettable, eu égard à son décolleté plongeant rigoureusement interdit aux asthmatiques... Intérieurement, je soupirai. Ce serait quand même malheureux d'abandonner toutes ces merveilles sans pousser plus loin mes rapports de bon voisinage avec leur propriétaire. Je sentis faiblir ma décision de rendre mes billes.

— Que se passe-t-il ? demanda-t-elle, devant l'expression de mon visage. Vous paraissez contrarié.

— Nullement. C'est le masque du détective sérieux, compétent et efficace, rien d'autre. Alors, où en sommes-nous ? Vous avez reçu d'autres messages menaçants, depuis hier ?

— Non.

— Vous n'en recevrez plus.

— Vous... Qu'est-ce qui vous fait dire ça ? C'est parce que vous êtes là ?

— Bougre non ! ricanai-je Pour que vos... persécuteurs aient peur de moi, il leur faudrait connaître ma présence ici. Or, qui est dans ce cas ? Personne, sauf une téléphoniste, espèce particulièrement bavarde, et ce journaliste qui marche en canard, Montbazin. Celui-là...

— Je ne comprends pas, dit-elle, une lueur d'inquiétude dans le regard qu'elle me coula. Ou plutôt, je crois comprendre que ... vous me reprochez d'avoir signalé à la téléphoniste que j'attendais un visiteur du nom de Nestor Burma ? Comment voulez-vous que je fasse ?

— Vous auriez pu éviter de mettre au courant ce Montbazin.

— Oh ! Montbazin... C'est un journaliste qui ne démarre pratiquement pas des studios. Il fait partie du mobilier. Oui, je lui ai dit qu'on me téléphonait des horreurs et que je mettrais certainement un détective privé sur l'affaire. Je ne vois pas quel mal il y a à ça. Tôt ou tard, ça aurait bien fini par se savoir, que vous travaillez pour moi !

— Peut-être. Mais je suis habitué à plus de discrétion de la part de mes clients, c'est tout. Voyons ! A quoi rime cette comédie ?

— Quelle comédie ?

— Les menaces. Vous savez, je ne suis pas dupe. Et si je vous dis que vous ne recevrez plus de menaces, c'est que vous n'en avez jamais reçu.

— Vraiment... (son regard vacilla) ... vous croyez ce que vous dites ?

— Dur comme fer. C'est une combine renouvelée de celle de Thelma Kiss, une ravissante Américaine dont il m'étonnerait fort que vous n'ayez pas entendu parler.

Elle essaya de lutter :

— Thelma qui ?

— Thelma Kiss. Une star de cinéma. Complètement lessivée à Hollywood, elle est venue à Paris se refaire une virginité en jouant, à la ville, une comédie publicitaire assez réussie. Vous savez laquelle ; les journaux en ont parlé. Résultat : elle est en train d'entamer, à Rome, une seconde carrière des plus brillantes.

— Eh bien ! navrée de vous décevoir, mais j'ignorais tout cela !

Elle mentait toujours aussi mal.

— Comme vous voudrez, dis-je. Mais, bon sang !

vous avouerez tout de même que tout n'est pas net, dans votre démarche auprès de moi.

Elle haussa les épaules.

— Je pensais que c'était simple, pourtant J'ai... j'ai reçu des menaces... J'ai cru pouvoir chercher protection auprès d'un détective privé .. Je suis venue vous trouver. C'est tout.

— Après m'avoir piqué au hasard, de votre mignon ongle rose, dans l'annuaire par professions.

— Pas au hasard. Vous savez bien comment ça s'est fait   Barma-Burma... vous l'avez dit vous-même

— Justement. C'est moi qui vous ai suggéré cette explication, et je n'aime pas la façon dont vous vous êtes précipitée dessus.

— Que voulez-vous que je vous dise ? soupira-t-elle C'est un détail si important ?

— C'est un détail insignifiant, de pure routine, qui se règle généralement en moins de deux. Mais vous, ce détail, vous paraissez l'entourer de mystère Pourquoi ?   Comprenez-moi bien... C'est le printemps, vous êtes jolie... Bref, au risque de me ridiculiser, je ne refuse pas de vous suivre dans une réédition de l'opération Thelma Kiss... encore qu'il me déplaise que ce journaliste, Montbazin, ait l'air d'être au courant, mais enfin je ne crois pas que ce soit ça le plus grave Ce qui le serait   c'est qu'il y ait autre chose derrière ce que je flaire Si derrière vous, par exemple   c'est une idée qui me vient comme ça   il se préparait une entourloupe dont je serais personnellement victime.. Enfin, j'aimerais en avoir le cœur net, quoi ! Vous êtes sûre qu'il n'y a personne, derrière vous ? Quelqu'un qui envisage-rait, en vous manœuvrant, de me posséder ?... De nous posséder   aussi bien vous que moi, d'ailleurs ?

Elle battit des cils

— Qu'est-ce que vous allez chercher là !

— Oh ! j'ai tellement rencontré de tordus ! Enfin, bon, moi, je ne demande pas mieux que de vous croire, seulement, je vous avertis, hein ? Si ça prend le chemin de me faire passer pour un con, on m'entendra gueuler, je vous le garantis. Et en fait de publicité, vous serez servie. Voilà, c'est tout ce que je voulais vous dire.

— C'est déjà beaucoup, il me semble, répliqua-t-elle, acide. Merci quand même d'être venu jusqu'ici.

— Vous me flanquez à la porte ?

— Ma foi... Etant donné... la piètre opinion que vous avez de moi... vous me laissez certainement tomber, non ?

— Détrompez-vous. Je continue.

Elle poussa une sorte de gémissement :

— Vous continuez !...

Elle s'interrompit et ses lèvres frémirent. Pas facile, de sortir du guêpier. Elle était à deux doigts de la crise de nerfs. D'un violent effort, elle se domina et reprit :

— Vous êtes vraiment extraordinaire !

— Je suis seulement curieux de voir où tout cela nous mènera.

— Oh ! je vous en prie ! (Elle manipula les paperasses étalées devant elle.) ... Il faut que je prépare ce travail pour ce soir... Vous devriez me laisser, implora-t-elle. Vous m'avez mise dans un état !...

— D'accord, dis-je. Je ne tiens pas à vous persécuter. Et je ne crois pas, pour le moment, pouvoir tirer de vous autre chose encore que des craques. Je reviendrai d'ici une heure ou deux. Réfléchissez, pendant ce temps-là.

En me dirigeant vers la sortie, j'entendis dans mon dos comme une grêle qui crépitait C'était Mlle Fran-

çoise Pellerin qui tambourinait sur le bois du guéridon, au grand dam de ses ongles laqués.

*
* *

Quelque chose comme une paire d'heures plus
tard, j'étais encore au *Télé-Bar,* en train de boire un
verre en compagnie de Lucot, lorsque Larville, le
dramaturge, qui s'était mis à noircir du papier dans le
fond du bistrot, nous rejoignit au zinc.

— Tenez, dit-il en tendant une feuille au réalisateur. Je crois que, comme ça, ça devrait gazer.

C'était le laïus en argot, servant de préface à la
pièce, que l'auteur, par souci d'originalité, avait
imaginé de faire dire par la speakerine.

— Ça ira, opina Lucot.

— Gy ! Je vais le lui apporter tout de suite.

— Rien ne presse. Nous avons encore deux semaines de répétitions.

— Possible. Mais notre speakerine, ce sera Françoise Pellerin, hein ? Alors, autant prendre ses précautions. Elle aura tout juste assez de deux semaines
pour apprendre à dire ça sans bafouiller. Où peut-on
la dégotter ?

Sous le regard surpris des deux zigues, je dis que je
le savais et invitai Larville à me suivre.

Françoise Pellerin n'était plus dans la pièce où je
l'avais laissée… Nous partîmes à sa recherche. Un
binoclard, rencontré à proximité d'une « régie »,
nous rencarda plus ou moins.

— Il y a une petite loge, à côté de celles des
acteurs, qui sert de cabinet de repos. Elle y est peut-
être.

Il nous situa l'endroit. Je mis le cap dessus,
toujours escorté de Larville. Arrivés à destination, je
poussai la première porte venue C'était la bonne

Allongée sur un minuscule divan, la môme Dubidon roupillait comme une bienheureuse. Je m'approchai. Par terre, près du divan, il y avait un verre. Je ne le vis pas et le catapultai d'un coup de pompe involontaire. Il alla se briser contre le tuyau de vidange d'un lavabo.

— Hep! dis-je.

Françoise Pellerin ne bougea pas. Je lui mis la main sur l'épaule et la secouai. Ma gorge se noua. Je me tournai vers Larville :

— Oh! merde! Vite! Allez chercher Lucot.

Je refermai la porte sur lui et revins auprès de la blondinette. Pauvre môme Dubidon!... Elle ne monterait plus de bateaux aux flics privés!

CHAPITRE II

DIVERTISSEMENTS NOCTURNES

Le quart-d'œil du coin s'appelait Dubois. Il m'entreprit immédiatement, cependant qu'un toubib officiait dans la loge mortuaire. Nous étions en plein boum du jeu des questions et des réponses, lorsqu'on vint avertir Dubois que le commissaire Florimond Faroux, de la P.J., et son adjoint, l'inspecteur Fabre, venaient d'arriver du Quai des Orfèvres. Dubois ne s'attendait pas à ce renfort.

— C'est moi qui lui ai téléphoné, expliquai-je. Le commissaire est un ami de vieille date. Dès que je suis mêlé à un micmac quelconque, je l'en informe, pour que ce ne soit pas la rumeur publique, toujours sujette à caution, qui s'en charge Simple précaution de ma part, mais j'ignorais qu'il allait rappliquer.

Dubois ouvrit la bouche, mais n'eut pas le temps de bavarder. Escorté de deux paires de flics, Faroux, suivi de Fabre, pénétrait dans le studio.

— Commissaire Faroux, chef de la Section centrale criminelle, se présenta-t-il en tendant la main à Dubois. Et voici l'inspecteur Fabre .. (Et il enchaîna, s'adressant aux flics en tenue :) .. Mettez-moi ce type dans un placard. Quand j'en aurai besoin, je vous avertirai.

Ce type, c'était moi.

Peut-être ne trouvèrent-ils pas de placard. Ils me bouclèrent dans leur car, à l'arrêt au carrefour. Je me blottis dans un angle du sinistre bahut et fumai ma pipe.

Une bonne heure s'écoula ainsi, au cours de laquelle une ambulance s'annonça et repartit, emportant Françoise Pellerin vers la morgue.

Enfin, un flic vint me récupérer, sur l'ordre de Faroux.

Celui-ci, flanqué de son acolyte, m'attendait dans une pièce jouxtant un standard.

— Asseyez-vous, dit le commissaire Excusez-moi de vous avoir retiré un moment de la circulation, mais j'aime travailler tranquille. Et maintenant, allez-y. Je vous écoute.

— Mon histoire sera brève, dis-je. Le nommé Larville désirait soumettre un texte à Françoise Pellerin. Je l'ai accompagné. Nous avons trouvé la jeune femme morte. J'ai alerté mon copain Lucot et, pendant que celui-ci informait les sphères dirigeantes des studios qu'il fallait embaucher une autre speakerine, je vous ai téléphoné.

— Bien. Je crois que vous étiez ici à cause de cette malheureuse qui avait, d'autre part, reçu des menaces de mort. Exact ?

— Exact. C'est du bidon.

— Comment ?

— Il est exact que je me sois trouvé ici à la demande de Françoise Pellerin, mais les menaces de mort, c'est du bidon.

— Cependant, elle est morte !

— Oui, et du diable si je comprends pourquoi ! A première vue, il s'agit de poison, hein ?

— A la seconde aussi. Absorption d'une trop forte dose de somnifère

— Qu'elle a pris toute seule, comme une grande, ou qu'on lui a administré ?

— Nous n'en savons trop rien. La drogue utilisée est liquide. Le toubib en a recueilli dans le fond du verre, suffisamment pour éclairer sa lanterne. A propos, nous tenons de Larville que c'est vous qui avez brisé le verre en lui balançant un coup de godasse. J'espère que vous ne l'avez pas fait exprès ?

Je haussai les épaules. Faroux poursuivit :

— De toute façon, ce n'est pas grave. Nous n'avons pas été fichus de relever une seule empreinte sur les fragments du verre. Nous n'aurions certainement pas été plus heureux si le verre avait été entier. Pour en revenir à cette drogue, ça s'appelle *Aquahypnosal* ou *zol*. Ça se vend en petits flacons et ça se prend goutte à goutte, dans de la flotte. On n'a pas trouvé de flacon auprès du corps, mais on a fini par en découvrir un dans le sac à main de la morte, ce sac étant lui-même rangé dans un vestiaire. Ce flacon n'est pas celui d'origine. Pas d'étiquette de potard. Son bouchon n'est pas non plus un bouchon comptegouttes. Tout ça, ce sont des détails. Quoi qu'il en soit, la présence d'un flacon contenant de l'hypnomachin dans le sac de cette bonne femme m'a amené à imaginer la chose suivante : soit qu'elle éprouve le besoin de dormir quelques heures ou toujours, cette Françoise se prépare un peu de drogue, puis, au lieu de conserver le flacon auprès d'elle, va le ranger soigneusement dans son sac, au vestiaire, et revient dans la loge absorber son poison. Qu'en pensezvous ?

— Ça se tient.

— Ah ! oui ? Vous n'êtes pas difficile. Avouez que ce serait un comportement pas mal tordu.

— Pas plus tordu que de me raconter une histoire de menaces bidon.

— Vous persistez donc à croire que c'était du vent ?

— Oui.

— Mais à quoi ça aurait rimé ?

— Avec publicité. Vous n'ouvrez pas de bonne heure, aujourd'hui. Eh oui ! il y en a qui ratent un suicide ou perdent des bijoux. Pourquoi ne pas inventer des persécutions anonymes ?

— On aura tout vu !

— Dans ce milieu, on n'a jamais tout vu. Bref, je me doutais déjà que cette cliente me menait en barque, mais je n'ai vraiment compris dans quelle direction qu'après une conversation avec un nommé Montbazin, un journaliste.

— Je connais. Il nous a spontanément apporté son témoignage. C'est par lui que nous avons appris que cette fille avait reçu des menaces et qu'elle vous avait engagé.

— Et il tenait le tuyau de Françoise elle-même, n'est-ce pas ?

— Oui.

— A moi, il n'a pas voulu l'avouer, mais j'avais déjà compris. Et c'est alors que je me suis souvenu de Thelma Kiss.

— Qu'est-ce que c'est que cette bête ? Encore une tordue, certainement ?

— Tout juste. Une actrice américaine. Elle est passée par Paris, voilà un an. Elle y est restée deux mois, puis a filé sur Rome. Deux flics privés ne le quittaient pas d'une semelle...

— Ouais, fit l'inspecteur Fabre, sortant de son mutisme bien élevé. Je vois de quoi vous voulez parler.

— De vrais gardes du corps, poursuivis-je Ça a fait sensation. Deux flics privés pour elle toute seule ! Bref, les canards ont tartiné là-dessus jusqu'à plus

soif, et actuellement Thelma Kiss, grâce à ce lance-
ment, est en train d'entamer une éblouissante nouvelle carrière en Italie. A Hollywood, elle était
lessivée depuis longtemps. Ici, on a fini par apprendre que ces fameux privés, qui n'étaient peut-être pas
des privés, tout compte fait, se partageaient les
faveurs de la dame, mais cette révélation n'a en rien
tempéré l'enthousiasme des foules.

— Eh bien, vrai ! sifflota Faroux. Alors, à votre
avis, Françoise Pellerin avait mijoté un truc semblable ? Dites donc... Il y avait de l'avenir parfumé pour
vous, là-dedans !

— Pourquoi pas ?

— Ouais. Bon. Tout ça, c'est très joli, mais ce ne
sont que des suppositions. Je parle de la comédie
publicitaire. Et le seul fait précis que nous ayons,
c'est que cette fille est morte. Et ça, alors, c'est
encore un autre problème. Est-ce qu'elle s'est suicidée ? Un suicide me paraît bien improbable, surtout
accompli dans les conditions que j'ai dites. Et s'il y a
assassinat, l'assassin est, lui aussi, un tordu de
première. Il faudrait admettre qu'après avoir versé le
poison, il soit allé ranger le flacon dans le sac de la
victime au lieu de le laisser sur place. Ça ne tient pas
debout.

Cependant que Faroux parlait, je m'agitais sur ma
chaise. Depuis quelques instants, quelque chose me
travaillait.

— Merde ! grognai-je. Je suis un fameux salaud !

— Qu'est-ce qui se passe ? demanda le commissaire. Vous faites une de ces gueules !

— Il y a de quoi ! C'est moi qui l'ai tuée... Enfin,
presque... Vous n'avez pas compris ?... Aujourd'hui,
dans l'après-midi, j'ai eu une entrevue avec cette
Françoise et je ne lui ai pas caché que j'avais deviné
qu'elle se payait ma fiole . Je l'ai quittée dans un

grand état de nervosité… Maintenant, mettez-vous à sa place. Elle avait échafaudé une combine délirante pour se faire mousser. Que, d'emblée, le complice involontaire rue dans les brancards, lui a fait perdre les pédales. Alors, elle a éprouvé le besoin de se reposer, de se calmer… Dormir quelques heures… Après, on verrait. Comme pas mal de gens, elle usait de somnifères… Elle avait de cet hypnotruc dans son sac… Il n'y a pas d'autre explication et ça a dû se passer comme vous l'avez supposé. Elle a préparé sa drogue, a rangé le flacon dans son sac — pour si extraordinaire que vous paraisse ce souci d'ordre — et est allée dans cette loge avaler sa mixture et se détendre… Malheureusement — à cause de mézigue — elle était un peu nerveuse. Elle a mal calculé la dose. Voilà !

— Alors, dit Faroux, ce serait un accident ? Un accident dont vous vous sentez responsable ?

— Pas qu'un peu. Si je ne l'avais pas bousculée…

— C'était une tordue. On ne va pas revenir là-dessus, mais, moi, je ne rejette pas cette histoire de menaces… (Il se leva.) … Les collègues du secteur finiront par trouver quelque chose. En attendant, nous allons retourner au 36, Fabre et moi. On pourrait peut-être vider un godet, avant de se séparer. J'ai l'impression que ça vous ferait du bien, Burma.

Nous allâmes au *Télé-Bar*. Lucot était là, avec sa script et son auteur dramatique. Celui-ci faisait également une de ces gueules !

— Si leurs nerfs les lâchent comme ça, nous n'en sortirons plus, gémissait-il. Nous sommes déjà à la bourre. Ça ne va pas durer plusieurs jours, j'espère ?

— Demain, il n'y paraîtra plus, dit Lucot. On reprendra le boulot.

Je crus comprendre que le drame réel avait eu des

conséquences fâcheuses pour celui, fictif, de Larville, l'émotion ressentie par les deux principales interprètes de la pièce, Lydia Orzy et Olga Maîtrejean, leur ayant momentanément coupé le sifflet. Sale coup !

Faroux, ayant réglé les consommations, se débina, suivi de Fabre. Peu après, Lucot et compagnie s'en allèrent aussi. Le bistrot se vida lentement. Je restai seul avec un ou deux machinos — et un sale goût dans la bouche. Des journaux du soir traînaient sur le comptoir. Les toutes dernières éditions, lues et relues, et maculées de vin rouge. La mort de Françoise y était déjà mentionnée, avec de gros titres et un article squelettique. Sur une photo, elle souriait. Un sous-titre et un alinéa de l'article signalaient ma présence aux studios des Buttes. Pour remplir, le type rappelait qu'un mois auparavant j'avais fait arrêter un « dangereux gangster » nommé Mairingaud, qu'il orthographiait Marengo, comme le veau. Je réfléchis que Marc Covet, du *Crépu,* avide de rencards de première main, n'allait pas tarder à me casser les pinceaux. C'était encore une veine qu'il ne rôde pas dans le secteur.

Je quittai le *Télé-Bar* et montai dans ma bagnole.

La nuit était venue J'étais trop flapi pour aller me coucher. Pendant des heures, je roulai dans Paris sans but précis. Enfin, vers minuit, je rentrai chez moi, à ma crèche personnelle, complètement abruti, avec, en travers de l'estomac, le cadavre d'une pauvre et jolie petite mythomane

Mon premier soin fut de débrancher le téléphone Ce n'était pas le moment de venir m'emmerder... Ensuite, je me déshabillai. Je n'avais plus sur moi que mon falzar lorsqu'on sonna impérativement à la porte du palier.

Inutile de demander qui c'était ! Pour sonner de cette manière, il n'y avait qu'un flic. Faroux, certainement, qui avait quelque chose d'important à me communiquer.

J'ouvris la porte.

Ce n'était pas Faroux.

Je ne les avais jamais vus. L'un était grand, l'autre petit, et tous deux gantés comme de bons bourgeois. Le grand arborait le faciès couturé d'un ex-boxeur malchanceux. Le petit, fringué d'un autocoat de bonne qualité, ressemblait, de visage, à un employé de perception à qui il m'est arrivé d'avoir affaire. On ne peut pas dire que cet employé de perception ait toujours été gentil pour moi. Mais, enfin, il ne m'a jamais rendu visite en pleine nuit, en me braquant un revolver sur le bide.

C'était ce que faisait son approximatif sosie.

— Les mains en l'air, m'ordonna le type. Croisées derrière la nuque, s'il vous plaît.

Le chuchotement accentuait la douceur de sa voix. Il était assez poli, dans son genre. J'obéis. Il m'enfonça le canon de son pétard juste sous la boucle de ma ceinture et me poussa à l'intérieur de l'appartement. Son copain referma soigneusement la porte. Il devait craindre les voleurs.

Quelques secondes plus tard, j'étais de retour dans ma chambre, toujours sous la menace du feu tenu par le petit. L'ex-boxeur entreprit alors de s'assurer que je ne dissimulais aucune arme dans mes poches de falzar, puis, en deux temps trois mouvements, et sans qu'un mot soit échangé entre lui et son acolyte, il me bascula sur le plumard et je me trouvai ligoté à l'aide de mes propres ceinture et cravate. Ce boulot accompli, il alla farfouiller dans mon veston, vraisemblablement toujours à la recherche d'un pétard. Il n'en trouva pas. Je n'avais pas jugé utile d'en trimbaler un. Il tira mon portefeuille d'une poche et en vida en vrac le contenu sur le marbre de la commode qui me vient de ma grand-mère. Machinalement, ou mû et guidé par un instinct particulier, il ouvrit le tiroir supérieur de ce meuble et en sortit le Smith et Wesson qui y reposait parmi le linge. Il le contempla un court instant en connaisseur, avant de se l'approprier. Il n'y a pas de petits bénéfices.

— Ainsi, vous êtes détective privé, fit brusquement le gars à l'autocoat. C'est-à-dire un gonze qui s'occupe de ce qui ne le regarde pas. C'est vous qui avez épinglé Marengo, hein ?

— Marengo ?... Ah ! vous voulez dire Mairingaud ?

— C'est la même chose, fit-il sèchement, comme si je venais de lui écraser les arpions.

— Vous êtes de ses copains ?

— Tout juste.

Il coupa court, remisa son feu et entreprit de fouiller partout dans la chambre, créant un désordre maison des plus coquets. Il passa ensuite dans les autres pièces pour y poursuivre sa perquisition, à l'issue de laquelle j'allais être encore bonnard d'un autre pistolet, moi. J'avais un Webley en réserve, plus ou moins bien planqué, dans un placard du vestibule. S'il l'apercevait, le gars ne pourrait qu'imiter son copain le malabar. Ce dernier, justement resté seul avec moi, essaya de prendre un petit air futé pour dire :

— Alors ? C'est intéressant, la télévision, vue des coulisses ?

— Très, dis-je. Quand on en sort sur ses pieds.

Le propos le fit rigoler comme un sac de noix.

— Ha, ha, ha ! Ça n'a pas été le cas de tout le monde, aujourd'hui, hein ?

— Ferme ta gueule ! ordonna l'autre truand, revenant, sur ces entrefaites, de son expédition.

Il ressemblait de plus en plus à l'employé de

perception dont j'ai parlé. Il arborait cette expression insatisfaite des agents du fisc à qui l'on fait faux bond.

— Rien trouvé ? demandai-je.

— Semble pas que vous teniez vos archives soigneusement à jour, fit-il en guise de réponse.

— Mes archives sont en lieu sûr.

— En lieu sûr ? Tu parles ! Si vous avez en vue le bureau de votre agence de fouinage de la rue des Petits-Champs...

— Vous y êtes allés ?

Il ne répondit pas. Il me scruta le front, comme s'il attendait qu'y éclosent des rides, pour les compter. En même temps, il se dandinait d'un pied sur l'autre, l'air embarrassé de celui qui ne sait comment se tirer d'une situation qui n'évolue pas selon les prévisions.

— La réponse aux questions que je me pose, dit-il enfin, réside quelque part dans votre ciboulot. Comme je ne peux pas l'examiner ici, je vais me voir obligé de vous prier de nous accompagner. Je vous emmène à la campagne.

Parlait-il sérieusement ou n'était-ce que du bla-bla ? Je n'eus pas le temps de formuler la réponse. Il se passa quelque chose qui changea l'orientation de nos pensées, à tous.

Pour la deuxième fois cette nuit-là, on carillonna à ma porte.

Aussi souple et silencieux qu'un chat, malgré sa corpulence, le plus grand de mes mystérieux visiteurs me bondit dessus, me fermant la bouche de sa large patte gantée de tissu noir. Le petit s'était raidi, retenant son souffle. . et le soufflant remis en service.

Là-bas, dans l'entrée, la sonnette fonctionnait toujours. J'entendis prononcer mon nom et je reconnus la voix de Faroux.

Le petit gangster se pencha à mon oreille et chuchota, en me chatouillant les côtes du canon de son feu :

— Vous allez demander qui est là. Et très calmement, très posément, sans jouer au con. Nous aviserons après.

La grosse patte me libéra la bouche.

— Je puis tout de suite vous dire qui sonne, sans avoir à le demander, dis-je. C'est un flic. Le commissaire Faroux.

— Vous allez demander quand même.

Il fit un signe. Le grand m'attrapa, quasiment sous son bras et me transporta silencieusement dans le vestibule. Il me maintint debout par mon col de chemise. Maintenant, j'avais deux pétards braqués sur moi. Un dans les reins, tenu par le grand. L'autre vers le foie, tenu par le petit. Ce fameux petit dit, d'une voix ténue :

— Allez-y. Demandez qui est là !

— Qui est là ? criai-je.

— C'est moi. Faroux. Je vous dérange ?

— Non, non. Je vais vous ouvrir.

A peine avais-je prononcé ces paroles, dictées par l'homme à l'autocoat de bonne coupe, que je reçus derrière les esgourdes un coup de je ne sais quoi, mais c'était gratiné. Je dus m'effondrer. Je n'étais plus là pour m'en rendre compte.

Lorsque je revins à moi, sonné comme pas un, il me fallut un bout de temps pour comprendre que j'étais allongé sur le parquet de ma chambre, ma nuque endolorie reposant sur deux ou trois épaisseurs de serviettes éponges mouillées. Faroux, lui, était assis sur mon pageot, la tête dans ses mains, pas précisément l'air d'être à la noce, non plus. Il en avait pris un chouette coup sur la calebasse, lui aussi.

Me mettre debout exigeant un effort dont j'étais incapable, je m'assis, le dos contre un meuble.

— Eh bien ! dis-je, nous faisons une belle paire !

— Oui, grogna le commissaire. Euh... je vous ai détaché... et traîné du vestibule jusqu'ici... mais je n'ai pas eu la force de vous installer sur le lit...

— Ça ne fait rien. Je me trouve bien partout.

— Sacré nom de Dieu ! Quand je pense qu'il y en a qui se foutent de nous, les flics... parce que nous allons toujours par deux... Si j'avais été deux, cette nuit, je ne me serais pas fait assommer. . Mais je n'étais pas en service ; je rendais simplement visite à un ami... Qu'est-ce que c'étaient que ces zèbres ?

— Des potes à Mairingaud, d'après ce qu'ils m'ont dit.

— Qu'est-ce qu'ils vous voulaient ?

— Me faire payer son arrestation, sans doute. Heureusement vous êtes survenu. Au fait, pourquoi ?

— Je voulais apaiser vos remords... au sujet de cette Françoise Pellerin.

— Ah ?

— Oui... Vous m'aviez paru tellement abattu que lorsque j'ai eu le résultat du labo, je me suis dit : « Tiens, ça le soulagera, dans un sens, d'apprendre ça. » ... J'ai voulu vous téléphoner... mais j'ai compris que vous aviez débranché... pour être tranquille...

— C'est ça... pour être tranquille...

— Alors... puisque aussi bien vous êtes pour ainsi dire sur le chemin de ma piaule... je suis venu vous mettre au courant, en rentrant chez moi. J'aurais mieux fait de m'abstenir... je pense à ma tête... Dites donc, ce sont des rapides, ces mecs-là... Il y en a un

qui ouvre la lourde… moi, je crois que c'est vous… je
tends la main… il la prend, me saisit en même temps
par le colbak, m'attire à lui… et allez donc ! Le coup
du lapin ! Je n'ai même pas eu le temps de voir la
frime qu'il avait !

— Si vous le désirez… je vous les décrirai… plus
tard… à tête reposée.

— A tête reposée… Oh ! parlez pas de tête !

— En attendant… qu'est-ce que vous veniez m'apprendre ?

— Ah ! oui, c'est vrai ! Je venais vous apprendre
que les menaces de mort n'étaient pas du bidon et
que votre speakerine a bel et bien succombé à un
empoisonnement criminel !

— Ça, alors ! Et comment êtes-vous arrivé à cette
conclusion ! demandai-je, après être revenu de ma
surprise.

— Très simplement… Dites donc, vous n'avez pas
de l'aspirine, dans un coin ?

— Si.

Je me hissai sur mes guibolles (ça allait moins mal
que je n'aurais cru) et allai chercher dans la pharma-
cie de quoi calmer nos respectives douleurs crâ-
niennes.

— Vous comprenez, dit Faroux lorsqu'il se sentit
un peu mieux, j'avais fait saisir le flacon de somnifère
découvert dans son sac. Mesure élémentaire Eh
bien ! au labo, ils ont eu beau écarquiller les yeux
pas une seule empreinte digitale sur l'objet, mon
vieux, pas une seule !

— Et alors ? Ah ! je vois.. Au moins celles de
Françoise Pellerin devraient y figurer !

— Tout juste. Aussi, ne vous tourmentez plus
Vous n'êtes pas responsable de sa mort.. Et comme
je ne vois pas pour quelle raison elle aurait effacé
elle-même ses empreintes

— Il s'agirait donc, d'après les précautions prises, de quelqu'un ayant déjà passé au « piano » de la Boîte ?

— On peut toujours l'espérer.

— Qu'est-ce que vous allez faire, maintenant ?

Il se passa la main sur son crâne en voie de guérison.

— Eplucher son entourage pour distinguer ses amis de ses ennemis. Car elle avait des ennemis, aucun doute. Nous inquiéter de qui elle a reçu la visite, entre le moment où vous l'avez quittée et celui où vous êtes revenu auprès d'elle. Nous avons déjà travaillé dans ce sens, mais ça n'a pas donné besef. Nous allons nous obstiner. Nous allons essayer de nous procurer le plus grand nombre d'empreintes possible... En attendant, la version officielle sera que cette speakerine s'est suicidée.

Je bâillai.

— Bon. Eh bien.. en ce qui me concerne, vous m'ôtez un fameux poids de la conscience, vous savez ? Voyons... Qu'est-ce que je voulais dire ?... Ah ! oui... après tout, c'était ma cliente, n'est-ce pas ? Je...

— Non ! m'interrompit Faroux avec fermeté. Laissez les flics faire leur boulot et ne vous occupez pas de ce qui ne vous regarde plus en rien... (Il consulta sa montre, puis se tâta le cigare) ... C'est égal ! soupira-t-il. Ils n'y sont pas allés de main morte, les copains de Mairingaud, hein ? Si jamais je les chope... A propos, vous avez eu, plus que moi, le loisir de les dévisager. Vous devez être en mesure de les identifier. Passez donc à la Boîte, dans la journée On vous présentera quelques photos de famille.

— Entendu.

Il jeta un nouveau coup d'œil à sa montre.

— Bientôt quatre heures ! Nous en avons assez fait

pour cette nuit. Nous devrions nous reposer un peu, tous les deux. Je vais me tirer...

Il se tira. Resté seul, je m'en fus voir dans le placard du vestibule si le Webley de secours y était toujours. Maigre consolation apportée à mes déboires nocturnes, il avait échappé aux investigations du gars à l'autocoat. Je m'en saisis et l'emportai avec moi dans la chambre.

*
*

Je dormis mal et peu. Vers huit heures, je pensai brusquement à Hélène dont, avec tout ce micmac, j'avais presque oublié l'existence. Je l'appelai chez elle, après avoir rebranché le téléphone.

— Nous avons perdu notre cliente, dis-je.

— Je sais, répondit-elle. Les journaux d'hier soir me l'ont appris. Ce n'était donc pas une bluffeuse ?

— Je continue à croire que si, mais quelque chose a dû craquer dans le scénario. Officiellement, elle s'est suicidée. Mais Faroux est persuadé qu'une main criminelle, comme on dit... Je partage cette opinion... Autre chose : quand vous arriverez au bureau, tout à l'heure, ne vous étonnez pas de l'état dans lequel vous le trouverez. Il a reçu de la visite, cette nuit. On a dû forcer la serrure et bouleverser tous nos papiers. Mettez de l'ordre et faites réparer la serrure.

— Qu'est-ce que c'est que ce nouveau truc ?

— Une sorte de suite. Ils étaient deux, un grand et un petit...

Je lui exposai ce qui s'était passé, l'intervention inespérée de Faroux incluse.

— Eh bien ! vrai ! Qu'est-ce que c'étaient que ces olibrius ?

— Ils se sont présentés comme des copains de

Mairingaud, mais ils ne sont pas plus copains de
Mairingaud que mézigue. D'ailleurs, ils prononçaient
son nom comme il a été orthographié hier dans
France-soir.

— Quel était le véritable objet de leur visite,
alors ?

— La môme Pellerin, vraisemblablement Leur
équipée suivait de trop près l'annonce, par les
journaux, de la mort de la speakerine et de ma
présence sur les lieux du drame Ils ont établi un
rapport et cherchaient quelque chose la concernant
Un dossier, par exemple Ils ont fait chou blanc
partout, évidemment

— Oui, bien sûr Et maintenant, qu'allez-vous
faire ?

— La même chose que Faroux .. parallèlement ..
Je ne peux tout de même pas tenir compte de son
interdiction   On s'est trop payé ma tirelire de toutes
les façons, dans cette affaire . Mais dans l'immédiat   aujourd'hui, je veux dire .. je crois que je vais
me reposer   je suis vraiment mal foutu .

— Bon Je vais passer chez vous avant d'aller au
bureau J'ai l'impression que vous avez besoin d'une
infirmière

Elle fit aussi bien de venir me rejoindre A peine
était-elle là, que ma tête se rappela brusquement,
avec une rare intensité, à mon bon souvenir. On
aurait juré que je venais de stopper un nouveau coup
derrière les oreilles. Cette fois, pas d'erreur, je
devais avoir eu droit à une fracture du crâne Ce fut
sur cette réjouissante perspective que je partis dans
les pommes

CHAPITRE III

PIEGE PAR-CI, PIEGE PAR-LA

Je revins à moi dans une chambre de la clinique du docteur H..., un ami de longue date qu'Hélène avait appelé au secours lorsqu'elle m'avait vu si mal en point. Contrairement à mes craintes, je ne souffrais d'aucune fracture, mais mon état exigeait les soins les plus attentifs. Ils me furent prodigués pendant trois jours par un personnel compétent, après quoi on me relâcha dans la nature, le samedi matin, la calebasse d'attaque, fin prête pour recevoir encore un gnon, le cas échéant... Je retrouvai avec plaisir mon bureau et ma bonne vieille bouffarde.

— Et maintenant, reprenons, dis-je à Hélène Quoi de neuf? Pas d'autre tentative de cambriolage ici, pendant mon absence?

— Non. Mais quelques coups de téléphone qui m'ont paru mystérieux.

— Coups de téléphone de qui?

— Les correspondants ne se sont pas nommés. « M. Burma n'est pas là? Merci Je rappellerai » Voilà le genre.

— C'étaient peut-être mes assommeurs qui désiraient avoir de mes nouvelles. Attendons que ces gens-là rappellent Et Faroux?

— Ah! celui-là! J'ai voulu lui téléphoner hier On

m'a répondu, à la P.J., qu'il voyageait en province
Mon œil ! Moi, je crois que, comme il a écopé autant
que vous, il se soigne dans un coin, mais il ne doit pas
vouloir que ce soit dit.

— Et l'enquête, aux Buttes ?

— Vous avez pu le constater vous-même : il n'y a
plus un mot dans la presse. Mais ça ne veut rien
dire... Ah ! à propos de presse, vous avez les
meilleurs vœux de rétablissement de Marc Covet. Il
m'a tannée pour que je lui raconte ce qui vous était
arrivé. J'ai tenu bon. Je lui ai conseillé de s'adresser à
vous, lorsque vous iriez mieux. Il ne va pas tarder à
se manifester. A moins qu'il ne soit reparti en
province pour le compte du *Crépuscule.*

— Il était en province, lui aussi ?

— Oui. C'est pour cette seule raison qu'il ne vous
a pas sauté sur le poil le jour même du drame.

— Ah ! voilà ! Mais ils sont donc tous en province,
alors ?

— On le dirait Et vous devriez en faire autant
Un peu de convalescence ..

— Polop ! Je n'ai déjà que trop perdu de temps, à
cette clinique. Je vais m'occuper de ce micmac, dare-
dare J'ai réfléchi, depuis que je suis sorti du coma

— Je croyais que vous n'aviez fait que regarder la
télé ? Dites donc, à propos, l'établissement de votre
copain est drôlement moderne La télé dans certaines
chambres ! Excusez du peu ! Il est aux petits soins
pour ses malades, hein ?

— Laissez-moi rigoler. C'est pour favoriser leur
rechute Oui, j'ai regardé la télé J'y cherchais une
inspiration.

— Et vous l'avez trouvée ?

— Non. Alors, je me suis contenté de creuser
certaines de mes anciennes idées.

— Et le résultat de ce creusement ?

— Il tient en peu de mots. Je persiste à penser que Françoise m'a mené en bateau. Elle n'avait pas reçu de menaces de mort... Son comportement faisait partie d'un scénario, dans lequel elle était plutôt un instrument. En tout cas, à un moment, disons après que je l'ai eu traitée de menteuse, elle a dû vouloir rendre ses billes... et c'est alors qu'on l'a supprimée Reste à savoir qui a fait le coup. (Je soupirai.) Pour commencer, je vais essayer de me renseigner sur cette pauvre fille. Après tout, qu'est-ce que nous savons d'elle, hein, à part son nom et le fait qu'elle est morte ?

J'attrapai le téléphone et composai le numéro d'appel de Lucot. Ça sonna un certain nombre de fois, là-bas, à Kléber quelque chose, personne ne faisant mine de vouloir décrocher. J'allais abandonner, lorsqu'au bout du fil quelqu'un dit enfin :

— Allô !

— Salut, Lucot. Ici, Burma, dis-je. Ça gaze ?

— Ça pourrait aller mieux.

— Je te téléphonais à tout hasard. Je me demandais si tu ne serais pas en plein travail ou à la campagne. Ça marche, ta dramatique ?

— M'en parle pas. Pour une dramatique, elle l'est Avec toutes ces combines, c'est stoppé. Je crois pouvoir reprendre les répétitions lundi. Mais la mort de Françoise a provoqué une cascade de crises de nerfs parmi ma troupe Maîtrejean a été incapable de travailler de toute la semaine et Orzy s'est disputée avec son amant, paraît-il, puis avec Maîtrejean ; alors, pour le coup, Olga, qui allait un peu mieux, a remis ça avec ses nerfs. Bref, tu vois le tableau.

— Pas précisément parce qu'il y a trop de personnages, mais enfin, ça ne fait rien.

— Maîtrejean et Orzy, ce sont mes deux vedettes. Je devrais même dire : Orzy et Maîtrejean. Question de préséance Lydia Orzy et Olga Maîtrejean. Lydia, c'est la rouquine à la belle Oldsmobile. Elles ne peuvent pas se voir en peinture. Je veux dire Olga et Lydia Je les ai engagées un peu à cause de cette animosité, car, dans la pièce de Larville, elles tiennent des rôles de rivales et je croyais que ça ferait plus vrai, mais c'est une expérience que je ne renouvellerai pas. C'est égal ! Quelle histoire ! Alors, d'après les flics, Françoise s'est suicidée ?

— Tu dis ça sur un drôle de ton ! Ça n'a pas l'air d'être ton opinion.

— Oh ! tu sais... je ne vois pas pourquoi elle se serait suicidée, c'est tout

— Elle avait peut-être des chagrins d'amour.

— Ça m'étonnerait Roudier était tout ce qu'il y a de gentil avec elle et je ne crois pas qu'elle ait eu un béguin fou pour Dolguet.

— Dis donc ! il lui en fallait combien ? Qu'est-ce que c'est que ce Roudier et ce Dolguet ?

— Eh bien... Roudier... c'est avec lui qu'elle devait se marier bientôt, d'après les rumeurs.

— C'est un gars de la télé ?

— Oui Un technicien. Actuellement, il est je ne sais où, en Afrique, je crois, pour le compte de *Cinq Colonnes à la Une.*

— Ah ! ah ! Et pendant son absence, Dolguet le remplaçait ?

— Il faut toujours que tu voies le mauvais côté des choses, hein ?

— C'est-à-dire que cette tournure d'esprit fait un peu partie de mes obligations professionnelles.

— Ouais. En tout cas, personne ne remplaçait Roudier, et surtout pas Dolguet

— Pourquoi ? Il est en voyage, lui aussi ? En province, peut-être Ça se porte beaucoup.

— Plus loin que ça

— Où ?

— Bagneux.

— T'appelles ça loin ?

— Tu verras, quand tu y seras. Pour en revenir, c'est coton. Tu n'as jamais entendu parler du Cimetière parisien ?

— Ah ! c'est là qu'il est, ce Dolguet ?

— Oui.

— Et il y est allé comment ?

— En corbillard.

— Je m'en doute, mais je voulais dire... Tu vois, c'est le mauvais côté des choses, toujours... à la suite de quelles circonstances ? On l'a poussé un peu dans le trou ou il est mort de sa belle mort ?

— Belle mort ? Fichtre non ! Il a grillé !

Je tiquai :

— Grillé ? Comme une torche ?

— Oui.

— Très intéressant.

— N'est-ce pas ? Comme vampire, tu te poses un peu là ! Il te faut des détails ?

— Ma foi...

— Eh bien... il y a six mois, six ou sept mois, il y a encore eu le feu aux studios des Buttes. Dans les vieux bâtiments, toujours. Ç'a été moins grave qu'il y a quelques années. N'empêche que mon Dolguet a été pris dans l'incendie et qu'on n'a pas pu le sauver

— Il travaillait à la télé aussi, ce Dolguet ?

— Oui. Technicien également.

— Et, à l'époque de sa mort, Françoise Pellerin et lui couchaient ensemble ?

— Ils cohabitaient même, je crois.

— Je vois. Dis donc, tu ne pourrais pas me parler un petit peu de Françoise elle-même, maintenant ? Je ne te téléphonais pas dans une autre intention. Pratiquement, je sais juste son nom.

— Et moi guère plus. Mais je connais un jeune gars, à l'administration, un nommé Jacques Mortier, qui se fera un plaisir de te renseigner utilement. C'est une vraie concierge Je vais lui passer un coup de fil Il t'appellera. Ça ira comme ça ?

— Au poil

*
* *

Une heure plus tard, le téléphone retentit.

— Ici Jacques Mortier, claironna une voix jeune et sympathique Je vous téléphone de la part de Lucot Il m'a mis au courant Paraît que vous avez besoin d'un certain métrage de tuyaux Je suis votre homme mais, avant toutes choses, permettez-moi.

C'était le roi des bavards. Pendant dix bonnes minutes, il m'entretint de ses préférences policières et, incidemment, de ses goûts artistiques. Enfin, il en vint à Françoise Pellerin Elle fut roulée dans un flot de paroles et tout ce qu'il m'apprit ou rien, sur elle, c'était sensiblement du kif Mais j'en tirai une sorte de fiche d'état civil

Elle était née en 1942, à Paris. Comme tout le monde, elle avait étudié un peu l'art dramatique Par-ci par-là, elle avait tenu quelques petits rôles vaseux Poussée par Dolguet, elle s'était présentée au concours de speakerine et avait décroché la timbale Elle demeurait rue Saint-Benoît   enfin, jusqu'à la semaine dernière Son père était mort, mais sa mère vivait encore Rue des Forges, numéro 15, à Châtillon

— Parfait, dis-je Je vous remercie Maintenant, je voudrais d'autres tuyaux Concernant Roudier et Dolguet, ceux-là Est-ce possible ?

— Tout l'est Seulement, pas immédiatement Voulez-vous que je vous rappelle lundi ou mardi ?

Il allait sans doute me bâtir un roman , mais, du tas, j'extrairais peut-être quelques éléments utiles Du moins pouvais-je toujours l'espérer

*
* *

Au volant de ma bagnole, je m'engageai à faible allure dans la rue des Forges, examinant le paysage Le pavillon qu'occupait Mme Pellerin ne payait pas de mine, avec son perron de trois marches effritées, son jardinet rachitique qu'un plant de lilas ne parvenait pas à égayer, et sa grille rouillée De l'autre côté de la rue, une Floride était rangée le long du trottoir

Je m'apprêtais à stopper, lorsque je vis une grande brune, élégamment vêtue, sortir de chez Mme Pellerin. Elle traversait la chaussée, pas très assurée sur ses talons aiguille, et prit place dans la Floride

Cette femme ne m'était pas inconnue C'était l'une des actrices de Lucot, la brune Olga Maîtrejean

La Floride démarra et disparut en direction de Paris. Je stoppai, descendis de voiture et sonnai à la grille du numéro 15

On mit un certain temps à répondre à mon coup de cloche Je compris pourquoi lorsque la vieille dame apparut sur le perron Elle était quasi impotente Elle avait des yeux, un visage, des vêtements tristes et fatigués. Elle paraissait bien âgée, pour être la mère d'une jeune fille de vingt-deux ans, mais c'était pourtant le cas. Sa maternité avait été tardive

— Je désirerais vous parler de votre fille, dis-je

— Vous êtes tous bien gentils, fit-elle en réprimant un sanglot Entrez, voulez vous ? La grille est simplement poussée

Je la rejoignis sur le perron Elle m'introduisit dans une pièce du rez-de-chaussée où je reniflai tout de suite comme une latente odeur d'huissier

Je m'assis et posai mon galurin sur un guéridon proche. Il supportait déjà un journal, un bouquin, un étui à lunettes et aussi une feuille verte expédiée par le Gaz de France, billet doux que je connaissais d'expérience : une mise en demeure d'avoir à régler une note avant coupure. Non, question fric ça ne devait pas aller très fort, ici. Mme Pellerin me tira de ma rêverie :

— Vous aussi, vous travaillez à la télévision ?

Il était temps de la détromper. Je lui dis qui j'étais.

— Ah ! oui, fit-elle. C'est vous qui...

Elle avait lu les journaux et était au courant de mes activités. Les flics, dont elle avait certainement reçu la visite, lui avaient peut-être parlé de moi.

— Votre fille m'avait engagé en qualité de garde du corps, dis-je. Je suis navré... Ce qui lui est arrivé m'a profondément touché. J'ai tenu à vous le dire, même maladroitement.

— Je vous remercie. Vous êtes bien gentil.

— Je voulais aussi vous dire autre chose. C'est une question de conscience professionnelle. J'aimerais que vous m'autorisiez à poursuivre une enquête sur l'a... sur le décès de votre fille. Vous comprenez, je me sens un peu responsable de ce qui lui est arrivé.

— Que lui est-il arrivé exactement ? demanda-t-elle.

— Eh bien... la police a dû déjà vous le dire, mais... excusez ma brutalité... elle s'est suicidée ou on l'a empoisonnée sciemment. On ne sait pas au juste.

Elle se mordit les lèvres.

— C'est ce que m'a dit la police, en effet, articula-t-elle. Mon Dieu ! je ne comprends pas. Pourquoi se serait-elle suicidée ? Pourquoi l'aurait-on empoisonnée ?

— C'est ce que la police essaie de savoir. C'est ce que je voudrais savoir aussi.

Un bref sanglot la secoua :

— Je ne reconnais pas ma petite fille, dit-elle. C'est comme si ce n'était pas ma petite fille... (Elle me fixa de ses yeux marron, virés au noir, maintenant.) ... Allez-y, monsieur. Menez votre enquête. Je vous y autorise. La police .. Oh ! ils sont certainement très capables, tous ces inspecteurs, mais ils sont aussi assez distants, peu expansifs... Et puis, tous les jours il leur tombe une nouvelle affaire à démêler. Vous serez peut-être plus près de moi, vous ?

— N'en doutez pas, madame

— Je voudrais... Voyez-vous, tant que je ne saurai pas exactement *pourquoi* elle est morte, elle sera comme une étrangère pour moi. Tout cela me semble tellement hors du réel ! Lorsque je saurai, je comprendrai peut-être et je la retrouverai... comme avant.

— Oui, madame, je comprends. Je vous ferai tenir incessamment un papier que vous n'aurez qu'à me retourner, signé Exactement une lettre par laquelle vous reconnaissez m'engager pour enquêter à titre privé sur la mort de votre fille C'est une simple formalité pour me couvrir du côté de la police . Et maintenant... excusez-moi de raviver votre peine, mais... j'aimerais que vous me parliez de Françoise

En gros, j'appris que ce n'était pas une mauvaise fille, mais qu'elle était de tempérament fantasque Son indépendance d'esprit s'accompagnait d'une certaine naïveté et elle pouvait se laisser facilement bourrer le crâne. A vingt ans à peine, elle s'était débrouillée pour louer une chambre à Paris, de façon à ne pas rentrer tous les soirs à Châtillon. Et cela, en dépit du mauvais état de santé de sa mère Finalement, elle n'était plus rentrée du tout Mais elle

n'avait pas laissé tomber sa mère pour autant. Elle
avait pourvu à ses besoins. Elle faisait de brèves et
irrégulières apparitions au pavillon, et réglait toutes
les dépenses, envoyant de l'argent chaque mois... Je
crus comprendre que, maintenant qu'elle avait disparu, Mme Pellerin ne savait plus très bien avec quoi
elle allait vivre.

— Selon vous, avait-elle des ennemis ? demandai-
je

— Oh ! elle n'avait que des amis.

— A propos On m'a parlé d'un nommé Roudier

— Paul Roudier, oui Un charmant garçon. Il est
actuellement à l'étranger, je crois, pour son travail
Françoise et lui envisageaient de se marier.

— Et Henri Dolguet ?

Un nuage passa dans le regard de la vieille dame.

— Ah ! vous êtes au courant, pour lui aussi ?

— Il a été plus ou moins... fiancé à votre fille, m'a-
t-on dit

— Oui Et je n'aurais pas aimé l'avoir pour
gendre D'abord, il était plus âgé qu'elle et puis..
enfin, quoi, il me déplaisait Je ne l'ai vu que deux ou
trois fois, mais n'empêche Il ne m'a pas paru très
franc Enfin, je ne veux pas en dire du mal Il est
mort et   Vous savez de quelle horrible manière,
sans doute ?

— Oui, je sais Votre fille, enchaînai-je, demeurait rue Saint-Benoît J'aimerais jeter un coup d'œil
sur ses affaires. Avez-vous une clé de son appartement ?

— On vous a mal renseigné, dit Mme Pellerin.

Et elle m'expliqua que, effectivement, Françoise
logeait officiellement rue Saint-Benoît, dans une
chambre de bonne dont le loyer était à son nom,
chambre qu'elle avait, un moment, partagée avec

Dolguet, mais que, depuis sa liaison avec Roudier, elle cohabitait avec celui-ci, rue des Saules

— Toutefois, ajouta-t-elle, les affaires qui étaient restées rue Saint-Benoît sont ici depuis hier La police m'a autorisée à les déménager Oh! rien que des vieilleries. Je les ai fait mettre là-haut, avec les autres... dans l'armoire de son ancienne chambre Si vous voulez les voir.. Vous avez l'escalier dans le vestibule. Sur le palier, là-haut, c'est la porte de droite. Ça ne vous ennuie pas d'y aller tout seul? J'économise mes jambes le plus que je peux

*
* *

Un divan, une seule chaise, une petite armoire, une table et un enfoncement de bibliothèque meublaient la pièce. Au mur, dans un cadre, entre deux autres sous-verres, le visage d'une gamine souriait Elle devait avoir quinze ans lorsque cette photo avait été prise, mais déjà la femme perçait sous l'adolescente

Les affaires rapportées de la rue Saint Benoît (« Rien que vieilleries qu'on a mises avec les autres ») gisaient en vrac dans le bas de l'armoire Un véritable Marché aux Puces, propre à décourager le plus entreprenant chiftire Une poupée mutilée voisinait avec un porte-jarretelles, un paquet de magazines et quantité d'autres épaves Un carton à chaussures contenait quelques clés, les unes avec un bout de ficelle dans l'anneau, d'autres réunies par une breloque publicitaire, et toutes plus ou moins rouillées. Vieilles clés aux serrures perdues! On pouvait rêver poétiquement là-dessus jusqu'à plus soif Tout ce bazar devait dater du temps qu'elle était môme et qu'elle collectionnait les clés, comme d'au tres enfants collectionnent les capsules de bière Elle collectionnait peut-être aussi les porte-clés fantaisie. J'en trouvai une dizaine dans un angle poussiéreux du meuble.

D'un porte-documents fatigué, je sortis un paquet de lettres et de photos. Je parcourus quelques lettres pêchées au hasard dans le tas. Rien pour moi, à première vue. Les photos représentaient des personnes des deux sexes, des solitaires et des groupes. Pas mal de bonshommes. Plus de bonshommes que de bonnes femmes. Ça ou rien, ça devait être pareil ; mais, jusqu'à présent, c'était encore ce que j'avais trouvé de mieux.

Je mis le porte-documents sous mon bras et rejoignis Mme Pellerin au rez-de-chaussée.

— Je vous demanderai la permission d'emporter tout ça pour l'étudier, dis-je, en déposant le porte-documents à portée de sa main, sur un petit meuble. C'est de la correspondance relativement récente et des photos. La police y a certainement déjà jeté un coup d'œil, et s'il y avait quelque chose d'intéressant elle l'a saisi, mais on ne sait jamais, elle peut avoir oublié quelque chose.

— Faites comme vous l'entendez, dit-elle.

Le porte-documents béait. Mme Pellerin chaussa ses lunettes, tira à elle une lettre qui dépassait et la lut. Elle la remit en place sans le moindre commentaire. Dans le mouvement, des photos avaient glissé. Elle les étala, comme s'il s'agissait de tarots et qu'elle s'apprêtât à me tirer la bonne aventure.

— Ah ! voilà Henri Dolguet, fit-elle.

La photo avait un peu souffert. Elle était restée longtemps pliée par le milieu, mais l'essentiel subsistait, c'est-à-dire la physionomie du gars qui, de son vivant, c'était visible à l'œil nu, ne devait pas se prendre pour la moitié d'un cachet d'aspirine. C'était un gringalet, mais qui devait plaire aux femmes. Les yeux qui brillaient dans son visage de bellâtre le claironnaient. Pour parfaire le tableautin, le zigue arborait, sous un veston de bonne coupe, un de ces giletons en tissu écossais, à revers et à boutons de nacre, tout ce qu'il y avait de dandy et de fantoche. C'était vraiment triste qu'il soit mort. J'aurais eu plaisir à lui botter le train.

Sur cette pensée charitable, et Mme Pellerin n'ayant manifestement plus rien à me dire, je rangeai les photos dans le porte-documents, mis celui-ci sous mon bras, raflai mon galure et m'apprêtai à partir. En dépit de mes protestations, l'infirme tint à me raccompagner jusqu'à la porte. Tout en nous propulsant vers la sortie, je dis :

— En venant tout à l'heure, il me semble avoir croisé une Floride conduite par quelqu'un que je connais : Mlle Olga Maîtrejean, une actrice de la télé...

— Une bien gentille personne, opina la vieille dame. Elle sortait d'ici. Elle devait de l'argent à ma petite fille et elle a pensé... hum... c'est très aimable de sa part... (Elle marqua un temps avant de poursuivre, d'une voix changée, lointaine.) ... Ils ont tous été bien gentils, d'ailleurs, les collègues de ma petite fille. Pourquoi le cacher ?... Ils étaient au courant de ma pénible situation financière... Ils ont fait une petite collecte...

— Et Olga Maîtrejean vous apportait le produit de cette collecte ?

— Non. Elle c'est personnel. Une dette qu'elle avait contractée envers ma petit fille

Elle soupira et nous ne dîmes plus rien jusqu'à la porte. Elle l'ouvrit.

— Au revoir, madame, dis-je.

Je lui tendis la main. Elle la prit et la conserva dans la sienne.

— Ce n'était pas une mauvaise fille, chuchota-t-elle. Je voudrais en convaincre tout le monde. Si elle est partie d'ici, à vingt ans à peine... il faut comprendre ! C'était du vif-argent, elle débordait de vitalité. Quelle vie pouvait être la sienne auprès de moi qui ai du mal à me traîner ? Et quelle vie aurait été la mienne à la voir s'agiter devant moi, me narguant involontairement ? Nous aurions fini par nous haïr. Ce n'était pas une mauvaise fille et c'est pour cela qu'elle est partie. Mais voilà ce que beaucoup ne comprendront jamais. Moi, je le comprends. J'ai toujours compris ma petite fille Mais sa mort .. je ne comprends pas.

Elle libéra ma main. Je lui dis encore au revoir et regagnai ma bagnole

*
* *

Un peu avant d'arriver à la porte d'Orléans, je m'arrêtai dans un bistrot et appelai Hélène pour lui dire de préparer la lettre d'engagement destinée à Mme Pellerin. En retour, ma secrétaire m'apprit que Marc Covet avait téléphoné Il aurait bien aimé avoir de mes nouvelles. Je pouvais le rappeler chez lui

— Très bien, dis-je en raccrochant Il peut toujours compter là-dessus.

Mais, soudain, j'eus une idée J'appelai le journaliste :

— Allô ! Covet ?

— Ah ! C'est vous ? Alors, qu'est-ce qui se passe ?

— Vous en savez autant que moi. Mais, à nous deux, on va peut-être en apprendre davantage La presse ne dit plus rien de l'affaire, mais j'aimerais que vous la relanciez dans le *Crépu,* lundi Juste une récapitulation, mais dans laquelle vous glisseriez l'adresse de Mme Pellerin, la mère de la morte. C'est possible ?

— Certainement. Quelle adresse ?

Je la dis.

— O.K., fit Covet. Qu'est-ce que vous êtes en train de mijoter ?

— Un piège. A tout hasard.

Je raccrochai et retournai voir Mme Pellerin.

— C'est encore moi, dis-je. Excusez-moi, mais, de par ma profession, je suis soupçonneux et j'ai pour principe de ne rien négliger. Je bats peut-être la campagne, mais je crains que, en corrélation avec ce qui est arrivé à votre fille, vous ne soyez appelée à recevoir de mauvaises visites...

— Mon Dieu ! s'écria-t-elle, mi-effrayée, mi-incrédule. Qui voulez-vous qui m'en veuille ?

— On ne sait jamais. Voilà... c'est un peu délicat...

Je lui enveloppai cela du mieux possible et lui fis accepter le principe d'une surveillance de son pavillon, le jour de l'extérieur, la nuit de l'intérieur.

— Mes auxiliaires se présenteront à vous lundi, conclus-je. Souvenez-vous de leur nom : Reboul... celui-ci est manchot... et Zavatter, un élégant jeune homme.

Cela réglé, je repartis. D'un bistrot — de Montrouge, cette fois —, j'appelai Reboul, un de mes auxiliaires en question. Reboul a perdu un bras à la guerre, ce qui lui a permis de se forger un slogan : « Le manchot qui ne l'est pas. »

— 15, rue des Forges, à Châtillon-sous-Bagneux, dis-je, lorsque je l'eus au bout du fil. Un pavillon et sa locataire, Mme Pellerin, à surveiller à domicile. Partagez-vous le boulot avec Za... (Za, c'était Roger Zavatter, mon autre agent) .. et réglez au mieux Présentez-vous lundi à la bonne femme. Ce jour-là, le *Crépu* imprimera son adresse. Il est possible que certains gonzes dont j'ai déjà reçu la visite poussent une pointe jusque là-bas, lorsqu'ils la connaîtront.

— Vu, dit Reboul.

Je raccrochai et regardai dans l'annuaire si Olga Maîtrejean y figurait. Elle y figurait. *Art. dram., rue du Dobropol (XVIIe). Niel 78-15.*

Je passai à mon bureau, déposai le porte-documents ayant appartenu à Françoise Pellerin entre les mains d'Hélène, en lui demandant de commencer à éplucher tout ce bazar, et pris la direction de la rue du Dobropol.

Olga Maîtrejean n'était pas chez elle Sa pipelette m'apprit qu'elle était partie pour le week-end, comme d'habitude. Je rentrai rue des Petits-Champs.

Hélène avait déjà lu pas mal de bafouilles, mais sans résultat. Je lui donnai un coup de main, sans rien changer à la situation.

Le temps passa.

L'après-midi tirait à sa fin et nous allions plier boutique lorsque la sonnerie du téléphone retentit. Je décrochai.

— Allô ! M. Nestor Burma ? articula la voix rauque d'une femme

— Lui-même à l'appareil.

— Ah ! bonjour Dites-moi . j'ai quelque chose à vendre.

— Quoi donc ?

— Je n'en sais rien moi-même, mais si je vous racontais une partie de ma vie, ça vous intéresserait peut-être.

— Ah ! oui ?

— Je crois.

— Et peut-on savoir. Vous avez un nom ?

— Dolguet

— Dolguet ?

— Jeanne Dolguet.

Ça, c'était nouveau.

— Ah! ah! fis-je.

— Vous connaissez, hein? Je ne veux pas dire moi, bien sûr...

— Oui, oui, Dolguet. Hum... j'ai entendu parler d'un Dolguet...

— Amant de votre speakerine, n'est-ce pas?

— Ma speakerine! Enfin... oui.

— Il s'agit du même.

— Votre frère, sans doute?

— Mon mari.

De plus en plus nouveau.

— Très bien, dis-je. Si vous voulez passer à mon bureau... Je n'en bouge pas.

— Oh! gémit-elle. Vous ne pouvez pas plutôt venir chez moi? Ecoutez, m'sieu. Ça fait plusieurs jours que je suis malade. Je suis pompée, je tiens plus sur mes jambes. Je n'ai même plus le courage de m'habiller...

— Mettez quand même quelque chose sur le dos, pour me recevoir.

— Vous allez venir?

— Mais oui. Autant liquider ça.

— Quand?

— Tout de suite, si vous voulez.

— Oui, ce sera très bien... Ah! j'allais oublier... c'est rue d'Alésia, presque au coin de la rue Sarrette...

Elle ajouta le numéro et l'étage.

— Parfait.

Nous raccrochâmes.

— Eh ben, vrai! sifflota Hélène, qui avait suivi la conversation à l'écouteur de secours. « Même pas le courage de m'habiller. » Et elle n'a pas répondu oui

à votre invitation à se mettre un vêtement sur le dos.
Ça n'arrive qu'à vous, ces trucs-là !

J'attrapai l'annuaire par rues et le feuilletai. Rue
d'Alésia, au numéro en question, il y avait bien un
Dolguet, Dolguet tout court, sans prénom ou initiale
de prénom, sans indication de profession. Denfert
12-13. Je composai ce numéro. Ce fut la même voix
rauque de l'instant précédent qui répondit

— Excusez-moi, dis-je, mais un client vient de me
tomber inopinément sur le poil. Je serai peut-être un
peu en retard.

— Je vous en prie, m'sieu.

Je raccrochai.

— Hou ! le vilain méfiant ! ricana Hélène

Je hochai la tête, glissai la photo d'Henri Dolguet
dans mon portefeuille (deux identifications valent
mieux qu'une), souhaitai un bon dimanche à Hélène,
et m'en fus.

C'était une maison de trois étages. La concierge, si
on en croyait l'écriteau fixé sur la vitre de la loge
depuis dix piges au bas mot, « revenait de suite » Il
n'y avait qu'un seul locataire par étage et Mme Dolguet crèchait au second. Je le savais déjà, mais la
boîte aux lettres me le confirma. Je grimpai jusqu'au
second et appuyai sur le bouton de sonnette Un
bruit de talons hauts retentit dans le vestibule

— Qui est là ? s'enquit la voix rauque entendue au
téléphone

— 'stor Burma.

La porte s'ouvrit.

Elle avait obéi à mes suggestions vestimentaires, et
bien au-delà. Elle s'était frusquée comme pour sortir
Je fus un peu déçu. C'était une jeune blonde
artificielle, assez vulgaire dans l'ensemble Le genre
tapineuse Elle semblait tenir sur ses guibolles beau-

coup mieux qu'elle ne l'avait prétendu, mais trahissait un certain malaise.

— Par ici, dit-elle.

Elle me précéda le long d'un bref couloir. Une autre porte fut poussée et nous pénétrâmes dans une sorte de studio coquettement arrangé. Tapis de fibre, meubles de rotin, divan, tout ça du meilleur goût. Le divan occupait un renfoncement...

Et une seconde blonde occupait le divan.

Seulement, simple détail en passant, cette blonde-là avait les poignets et les chevilles liés et ne bougeait pas plus qu'une tranche de veau froid.

Je reculai. Trop tard!... Quelqu'un s'était glissé entre la porte refermée et moi, quelqu'un qui m'immobilisa. . Et un grand oiseau noir m'enveloppa dans ses ailes parfumées, après qu'on m'eut pressé sur le visage un tampon imbibé d'une véritable saleté.

Je m'étais méfié, mais pas suffisamment

CHAPITRE IV

DESCENDU A DOMICILE

Mille bruits peuplaient mon cerveau, dominés toutefois par ce qui me parut être la plainte romantique du vent dans de grands arbres. Autant que je pus en juger, j'étais assis dans un fauteuil déglingué, aux ressorts agressifs. Mes bras pendaient de part et d'autre de mon buste. Je fis un véritable effort pour les bouger et parvins à ramener mes mains sur mes cuisses. Les aiguilles de ma montre-bracelet étaient arrêtées sur dix heures cinq.

— Il se réveille, dit une voix.

— On l'asticote ? suggéra une autre.

— Laissons faire la nature, articula une troisième, aussi sourde qu'une lanterne, celle-là, et venant de plus loin que le fond des âges.

Une ou deux minutes sombrèrent dans l'éternité Sans me presser, je relevai la tête.

Derrière moi, je sentais une présence humaine, mais du diable si j'allais tenter de voir cela de plus près. Décoller mon menton de ma poitrine mobilisait tous mes efforts, me donnait déjà assez de mal. Je réussis enfin à amener ma tête à un angle normal, et regardai droit devant moi. Mon regard accrocha d'abord une boiteuse et massive table basse sur laquelle était éparpillé le contenu de mon portefeuille. De l'autre côté de ce vétuste meuble bancal, dans le cône de lumière jaunâtre projetée par le monumental abat-jour d'un lampadaire allumé, abat-jour troué par endroits et posé de traviole sur son support, s'inscrivaient un autre fauteuil et l'occupant de celui-ci.

L'homme était un costaud, certainement de haute taille, bien sapé, bien nourri et pesant son poids. L'acier poli d'un pétard de fort calibre miroitait dans sa main droite.

Avec autant de vivacité qu'une vieille savate livrée à elle-même, mon regard incertain alla de l'arme au visage de son détenteur, en remontant le long de la manche d'un élégant veston prince-de-Galles et d'un col à l'italienne.

Pour le coup, j'en bavai ! Qu'est-ce que c'était que ce turbin ? Je rêvais, devenais tout doucement toc-bombe ou quoi ? Cette télévision, alors !... Elle me poursuivait !

Le gars qui me faisait face, un revolver braqué à hauteur de ma ligne de flottaison, c'était... c'était Léon Zitrone !

*
* *

Ce fut du moins ce que je crus, au premier abord. Il est vrai que j'émergeais à peine d'un épais sommeil chloroformique et que je n'avais pas encore une vision bien nette des choses. Toutefois, peu à peu, mon état s'améliorant, je compris que je n'avais devant moi qu'un masque de carton, un vulgaire masque de carnaval, que le particulier au soufflant s'était collé sur le portrait avant de me faire compa-raître devant lui... Ça prouvait au moins une chose : les traits du particulier devaient m'être connus. Ses traits seulement, car j'avais beau me creuser le ciboulot, je ne voyais personne, parmi mes connaissances, du gabarit de ce gars-là. J'en étais là de mes réflexions lorsqu'il parla :

— Comment vous sentez-vous ? s'enquit-il, avec une courtoisie qui me surprit.

Sa voix, assourdie par le masque, était difficilement identifiable. En fait, je n'essayai même pas de l'identifier.

— Pas très fringant, avouai-je

Ma voix, à moi, était pâteuse .. et également inidentifiable, si je me fais bien comprendre

— Peut-être désireriez-vous boire quelque chose ?

Il était vraiment Régence D'ici qu'il me propose une danseuse, il n'y avait pas des kilomètres.

— Volontiers, dis-je.

Il fit un signe. Quelqu'un, derrière moi, se déplaça. J'entendis une porte s'ouvrir, se refermer. Quelque part, une tuyauterie trembla. Encore un bruit de porte et une main assez sale me tendit un verre pas très propre. Je le conservai un instant entre mes doigts, comme si j'hésitais à le porter à mes lèvres.

— Il ne contient pas de cyanure, ricana l'homme au citron Zitrone

Je bus. Ça avait le goût de la fine additionnée d'eau de citerne Je laissai retomber le godet sur mes cuisses. La main assez sale m'en débarrassa.

— Bon, fit alors le costaud. Ça doit, maintenant, aller beaucoup mieux et vous devez être en état de soutenir une petite conversation, n'est-ce pas ?

— Une conversation de quel genre ?

— Conversation n'est pas le mot juste C'est plutôt un discours que j'attends de vous. Une confession, en quelque sorte Je vais donner le signal du départ en vous posant une question et vous n'aurez, ensuite, qu'à vous laisser aller Ça ira comme ça ?

— Posez toujours.

— Auparavant, je voudrais m'excuser pour le traitement que j'ai été obligé de vous faire subir. J'entends par-là : piège, enlèvement, et tout ce qui s'ensuit. C'était le seul moyen, pour moi, de me procurer la preuve d'une certaine chose, et d'avoir ensuite avec vous la conversation dont je viens de vous parler. J'aurais pu venir chez vous, mais j'ai ouï-dire qu'on y faisait de mauvaises rencontres.

— En effet. Le dernier type qui est venu me voir à l'improviste, un flic nommé Faroux, c'est fait assommer de première.

— Vous voyez ! Bon. Donc, ma question est la suivante : quel rôle tenez-vous dans tout ça ?

— Tout ça quoi ?

— Eh bien... la speakerine d'un côté et Dolguet de l'autre.

— Je voudrais bien le savoir moi-même.

— Oh ! oh ! voilà le genre de réponse que je n'aime pas, car ça ne nous mène à rien. Nous ne sommes pas ici pour fignoler un dialogue de film ou de pièce de théâtre...

— En êtes-vous si sûr ?... (Il commençait à me casser les pinceaux.) ... Vous me faites marrer. Avec votre pétard à la main, vous ressemblez à un mauvais cabotin dans un mauvais rôle. De plus, vous essayez de vous exprimer d'une manière qui ne vous est pas habituelle. On dirait que vous vous contrôlez, ou que vous vous écoutez jacter. Vous...

— Ta gueule ! gronda une grosse voix à mes oreilles, cependant qu'une main puissante, — la pogne crassingue de tout à l'heure — me meurtrissait l'épaule.

— Ta gueule toi-même, et ne le touche pas ! glapit « Zitrone », avec autorité, sinon élégance.

Mon épaule fut libérée. Je me détronchai pour voir

enfin à quoi ressemblait mon gardien. Mes gardiens, devrais-je dire, puisque aussi bien ils étaient deux, postés derrière moi. Eux aussi s'étaient cloqués un masque Zitrone, mais je les reconnus tout de même, à leur dégaine et volume. C'étaient le grand et le petit... mes artistes de l'autre nuit... les duettistes contondants... les copains bidon de Mairingaud... ceux-là même qui m'avaient perquisitionné et assommé, ainsi que Faroux.

— Très bien, très bien ! dit à ce moment celui qui paraissait être leur singe.

Je lui fis à nouveau face, à celui-là. Il pianotait sur sa cuisse de la main qui ne tenait pas le revolver.

— Vous êtes un petit marrant, monsieur Burma, et en dépit de la gueule de bois que vous devez ressentir, votre langue est assez bien pendue Dans ces conditions, allez-y !

— Où ?

— Nom de Dieu ! ne recommençons pas, hein ?... (Pris d'un brusque accès de rage, il empoigna l'arme par le canon et assena un vigoureux coup de crosse sur la table basse.) ... Voyons, reprit-il, lorsqu'il se fut calmé. Voyons... nous n'avons rien trouvé chez vous, que ce soit à votre bureau ou à votre domicile, nous n'avons rien trouvé non plus sur vous... (Il se pencha sur la table, y déposa son pétard, et éparpilla encore un peu plus, si faire se pouvait, le contenu de mes poches qui y était étalé. Il prit entre ses doigts la photo de Dolguet, la regarda sans manifester d'intérêt particulier, puis la laissa retomber.) ... Rien nulle part, grogna-t-il, en se redressant et se carrant dans le fauteuil. Rien nulle part et, pourtant, ce n'est certainement pas pour des haricots que vous vous agitez comme ça, hein ? Ce n'est certainement pas pour des haricots que, dès qu'au téléphone on prononce le nom de Dolguet, hop ! vous mordez à l'hameçon et rappliquez aussi sec rue d'Alésia, où Mme Dolguet a quelque chose à vous vendre...

— Là, observai-je, je dois reconnaître que j'ai donné assez sottement dans le piège.

— Je ne vous le fais pas dire. Mais est-ce que ce piège aurait fonctionné aussi bien si vous ne vous étiez pas intéressé à Dolguet, le brillant technicien, entre autres choses, de la télé ? Voyez-vous, monsieur Burma, votre empressement à répondre à l'appel de Mme Dolguet... ou de celle qui avait pris sa place, mais c'est tout un... cet empressement a été pour moi la preuve que vous vous intéressiez vraiment à Dolguet. Et maintenant, vous allez me dire pourquoi ?

— Impossible ?

— Comment cela ?

— Parce que je m'intéresse pas à Dolguet. Je ne m'intéresse qu'à Françoise Pellerin.

— Eh bien ! dites-moi pourquoi vous vous intéressez à Françoise Pellerin. Vous voyez, je suis accommodant.

— Eh bien, voilà ! soupirai-je. Elle avait reçu des menaces de mort. Elle m'a embauché comme garde du corps. Je n'ai pas été utile à grand-chose car, en fin de compte, elle est morte. Assassinée, a-t-on tout lieu de croire.

— Assassinée ?

— Oui.

— Très intéressant.

— Pourquoi ?

— Parce que. On a parlé de suicide. Ça me chiffonnait un peu. Assassinée, j'aime mieux cela.

— Ah ! oui ? Ma foi, chacun ses goûts. Mais, enfin, moi, là-dedans, j'ai tout du con. J'avais été engagé pour lui éviter des ennuis de ce genre et voilà qu'elle me claque entre les doigts. Ça entache ma réputation. Il faut que je trouve pourquoi elle est morte et qui a fait le coup. Alors, je fouine de droite et de gauche, remontant dans son passé, etc. La routine habituelle, quoi !

— Qui vous conduit à Dolguet.

— Exactement. Ils ont couché ensemble

— Voyons... (Il leva la main droite pour prévenir toute interruption de ma part et formuler à son aise les pensées profondes qui l'assaillaient.) ... Voyons... la speakerine ayant été assassinée, vous cherchez à découvrir le coupable... Vous fouinez, apprenez que Dolguet a été son amant, et dès que Mme Dolguet... ou soi-disant... vous téléphone, hop ! vous bondissez.

— Vous le savez bien. Qu'est-ce que...

— Un moment. Vous cherchez le coupable, exactement le coupable de l'assassinat de Françoise Pellerin. Dolguet peut-il l'être ?

— Bien sûr que non ! Dolguet est mort il y a je ne sais combien de mois.

— Alors ? Qu'est-ce que vous alliez goupiller chez lui ?

— Mais, bon sang ! rien de particulier. Combien de fois faudra-t-il vous le dire ? Comment croyez-vous que travaille un flic privé ? Vous ne lisez jamais de romans policiers ? J'aurais cru, pourtant. Tout ça, c'était de la routine. Dolguet avait couché avec Françoise A l'époque, il y avait peut-être eu une histoire avec un autre mec, est-ce que je sais, moi ? Là-dessus, la femme de Dolguet, dont j'ignorais l'existence... la femme de Dolguet, ou quelqu'un qui usurpe son identité, me dit : « Venez, j'ai des choses à vous dire. » Je radine. Tout ça, c'est la routine habituelle. Je me suis intéressé à Dolguet parce qu'il a été l'amant de Françoise à un moment donné et que peut-être, dans l'entourage de ce Dolguet, on pourrait me fournir des tuyaux sur tel ou tel autre type qui tournait autour des jupes de la speakerine. C'est tout.

— C'est pour cette raison seulement que vous vous intéressez à Dolguet ?

Manifestement, d'après le ton de sa voix, il n'en croyait rien.

— Pour cette seule et unique raison, affirmai-je. En voyez-vous d'autres ?

— Oh ! oui. Beaucoup d'autres. Au moins trois cents millions.

Je le regardai, bouche bée. Qu'est-ce que c'était que ce genre de vanne ? Il allait falloir faire avancer la camisole de force, si ça continuait. Cependant, lui aussi me gaffait, par les fentes pratiquées à hauteur des yeux dans son grotesque masque de carnaval.

— Oh ! nom de Dieu de nom de Dieu ! gémit-il soudain, devant la stupéfaction et l'incompréhension non simulées que devait refléter mon visage. C'est pas possible !... On se serait gourés à ce point ?

Il se tassa dans son fauteuil, comme sous l'effet d'un coup de trique, se prit la tête à deux mains, ce qui fit craquer le carton du masque, et égrena un chapelet de jurons.

— Mais qu'est-ce qui se passe ? demanda un de mes anges gardiens.

Le gros ne répondit pas. Sous le masque, il soufflait comme un bœuf et devait suer de même. Il avait cessé de sacrer et méditait. Machinalement, il entreprit de regrouper mes papiers, épars devant lui, sur la table basse... A ce moment, quelqu'un éclata d'un déplaisant rire imbécile et s'exclama, avec un accent marseillais des plus prononcés :

— Y a de la joie, ici ? Qu'est-ce que c'est que cette mascarade ?

Tous les regards, le mien y compris, convergèrent vers l'endroit d'où provenait la voix.

Un jeune voyou presque un peu trop classique dans ses attitudes, modèle blouson noir rectifié, avec des esgourdes en contrevents et une légère torsion buccale à la dur de dur de cinéma, se tenait contre la porte qu'il venait de refermer sur lui. Son falzar mourait en accordéon sur des pieds nus plutôt crados. Une veste de pyjama, froissée, déboutonnée, flottait autour de son torse. Il avait la tignasse ébouriffée et les yeux vagues et pâles d'un aveugle Mais il y voyait parfaitement, il ne tarda pas à nous en administrer la preuve. En attendant, de quelque côté qu'on le prenne, fin poivre ou drogué, peut-être les deux, il était mal fagoté et de sale et moche bouille.

— Qu'est-ce que tu fous là, Roger ? demanda « Zitrone ».

— Allez ! barre-toi, appuya un de mes anges gardiens, derrière moi. C'est pas le moment de venir nous les briser.

Indifférent à tout ce que les autres pouvaient lui dire, le môme l'Affreux répéta :

— Qu'est-ce que c'est que cette mascarade ?

Il se détacha de la porte et fit quelques pas à l'intérieur de la pièce :

— Et ce zigue ?

Il me désigna.

— Qui c'est, ce zigue ?

— Un zigue. T'occupe pas, lui répondit-on.

Il fronça les sourcils.

— Z'étiez en conférence ?

— T'occupe pas, on t'a dit.

— Si vous étiez en conférence, faut que je sache J'y ai droit...

Il s'était approché de la table. Ses yeux furetaient partout, ses yeux pâles et vagues Il sifflota, puis

— Qu'est-ce que je disais ? Qu'est-ce qu'il goupille ici, Dolguet ?

Tout le monde sursauta, comme si un fantôme surgissait parmi nous.

— Dolguet ? s'écria « Zitrone ». Où ça, Dolguet ?

— Eh bé, là, quoi ! sur la table. Cette photo... c'est Dolguet.

— Dolguet ?

« Zitrone » saisit la photo en question, et jura. Il me sembla voir ses yeux lancer des éclairs par les trous du masque.

— Bon Dieu ! rugit-il. Vous aviez ça sur vous, hein ? Burma ? On ne s'était peut-être pas gourés, finalement. C'est peut-être pas d'aujourd'hui que vous le connaissez, Dolguet. Ah ! cette fois, vous allez l'ouvrir, c'est moi qui vous le dis.

Il avança la main pour empoigner son pétard, le pétard qu'il avait abandonné sur la table, et se trouva tout con. Le pétard n'y était plus.

Au même instant, la voix désagréable du jeune tocard s'éleva :

— Z'étiez en conférence, bande de doublards ! Z'étiez en conférence, hé ? Eh bé, racontez-moi. J'y ai droit...

Dans le moment de confusion qui avait suivi sa découverte de la photo de Dolguet, personne n'avait plus fait attention à lui. Il en avait profité pour étouffer le revolver, et, maintenant, il se tenait dans un angle de la pièce, l'arme braquée sur le groupe que nous formions.

— Cesse donc de jouer au zouave, fit le Zitrone en carton-pâte, s'efforçant au calme. A quoi ça ressemble, tout ça ?

Sans avoir trop peur, il n'était peut-être pas tellement rassuré, quand même.

— Laisse ce feu et va cuver ton vin, dit un de mes

anges gardiens. On t'expliquera plus tard. Si tu continues, tu vas finir par blesser quelqu'un.

Roger l'Affreux ricana. Cela tenait du grincement de la girouette oxydée et du bruit que fait un convoi de marchandises à la courbe des rails. Ça vous arrachait les dents mieux qu'une paire de tenailles.

— Et après ? répliqua-t-il, s'excitant lui-même dangereusement et ponctuant ses propos de grands gestes du bras prolongé de la pétoire. (Tout à l'heure, nous allions écoper.) ... Tiens ! si j'ai envie de faire un carton, justement, moi ? Des doublards pareils ! Vous m'en croyez pas capable, hé ? Mais pour qui que vous me prenez, alors ? Qu'est-ce que ça me coûterait de vous descendre, tous tant que vous êtes, les uns après les autres, si vous voulez me doubler ? Vous croyez que vous seriez les premiers ? Vous croyez que Dubaille ç'a été un accident ? Des clous ! Je l'ai fait exprès, de lui arranger la gueule ..

Il frappa le parquet de son talon nu, apparemment pour démontrer comment il s'y était pris avec le Dubaille en question, ce qui fait que, finalement, on ne savait plus s'il lui avait flanqué un coup de flingue ou simplement martelé la poire. Mais ce paroissien ne semblait pas devoir être à une inconséquence près.

— Oh ! tu nous emmerdes ! fit celui d'entre nous qui en avait le plus marre de cette comédie, et qui se trouvait être le plus costaud de la paire de truands préposée à ma surveillance

Et là-dessus, me bousculant au passage, il fonça sur le Roger, rejoint aussitôt par son acolyte Tous deux tombèrent à bras raccourcis et en gueulant fort sur le jeune voyou. Une mêlée confuse s'ensuivit, que je décidai de mettre à profit. J'abandonnai mon fauteuil et bondis à mon tour. Droit sur la table, afin de récupérer mon portefeuille et mes papiers, avant d'essayer de fuir à la faveur de la bigorne. Je fus si rapide que j'accomplis la première partie de mon programme sans pépin. « Zitrone » s'était mis debout et regardait ses copains se satonner à tout va. Mais il comprit vite de quoi il retournait, rayon mézigue, et, s'occupant alors de moi, m'agrippa l'épaule. Le masque de carnaval était à dix centimètres à peine de mon visage. J'en avais soupé de ce masque. Je l'arrachai, tout en me dégageant de l'étreinte de son porteur.

De ma vie, je n'avais éprouvé pareille surprise. On était vraiment en plein asile de dingues, ici ! Généralement, si l'on s'affuble d'un masque, c'est qu'on ne veut pas être reconnu. Or, ce type au menton carré, au pif un peu fort et aux petits yeux durs, aussi pénétrants qu'un clystère, je ne l'avais jamais tant vu ! Alors, à quoi rimait cette mascarade ? comme disait l'autre locdu. Peut-être étais-je appelé à le rencontrer un jour, et prenait-il ses précautions ? Peut-être. En tout cas, je réfléchirai à cela plus tard. Pour le moment, il s'agissait d'esquiver le furieux coup de poing que me décochait le « Zitrone » démasqué et pas content de l'être. J'avais encore de bons réflexes, malgré tout. Je me baissai, feintai, et ressentis seulement un choc à l'épaule. Je profitai de ce que j'étais courbé pour attraper la table à deux mains et la basculer. Elle retomba sec sur les arpions du zigotto Il cria aussi, pour se mettre à l'unisson, et partit à la renverse. Dans le mouvement, il réexpédia le meuble à l'envoyeur, mais j'avais eu le temps de reculer Lui, déséquilibré, valsa dans son fauteuil, de telle sorte que tout culbuta, et la dernière vision que j'eus de tout cela fut des chaussettes de soie et des souliers pointus du bout. Car, brusquement, les ténèbres nous enveloppèrent. « Zitrone » avait essayé de se cramponner au lampadaire et celui-ci l'avait suivi dans sa chute, si malencontreusement que l'ampoule avait explosé.

Je ne fis qu'un saut en direction de la porte. Je la franchis avec une légèreté de gazelle et la refermai derrière moi, à cause des courants d'air. Au même moment, une détonation claqua. Ça ne me surprit pas. Le spectacle était parti pour se terminer de cette manière.

A toute allure, je m'enfonçai dans l'obscurité d'un corridor humide... et me heurtai à une porte close, une massive porte en bois à la serrure comac et qu'il était vain de vouloir ébranler. Je revins quelques pas en arrière, tâtai la muraille et trouvai une autre porte sous mes doigts. Elle n'était pas fermée. Je la poussai et pénétrai dans une cuisine sur le mur du fond de laquelle les vitres d'une fenêtre découpaient un rectangle faiblement lumineux. La nuit n'était pas absolument noire. J'ouvris la fenêtre et me laissai glisser à l'extérieur. Je me reçus deux mètres plus bas, moitié sur du gravier, moitié sur une vieille caisse, mais sans mal.

Devant moi, jusqu'à une dizaine de mètres, s'étendait un espace découvert. Ensuite, se dressait un rideau d'arbres, tout murmurant sous l'effet de la brise nocturne. Au pied de ces arbres, deux masses plus sombres se détachaient sur le fond sombre. Deux bagnoles ! J'y courus, reconnaissant la mienne en l'une d'elles. Je sautai dedans. La portière se refermait à peine que le moteur ronronnait déjà et que je me cramponnais au volant comme un naufragé à une bouée de sauvetage.

Pendant quelques brèves secondes, je balayai le décor du faisceau lumineux de mes phares, afin d'examiner rapidement le terrain et les possibilités de fuite qu'il offrait. Entre deux platanes, s'amorçait ce

qui avait peut-être été une allée carrossable, sous le
Second Empire C'était la seule issue visible. Je
n'avais pas le choix. Je m'y engageai, ignorant de ce
que j'allais trouver au bout : un mur ou une grille.

Ce fut un portail, mais en bois, un de ces trucs à
claire-voie Je la traversai dans un relatif fracas de
matériaux qui craquent et, emporté par mon élan,
faillis aller voir dans le champ d'en face, de l'autre
côté d'un fossé, ce qu'on y cultivait. Je redressai à
temps, braquai, et commençai à sauter parmi les
ornières d'un chemin en zigzag, en me demandant
dans quel bled perdu je pouvais bien être

* *
*

Au bout d'un laps de temps qui me parut un siècle,
et après maints tours et détours, et m'être imaginé
cent fois avoir une auto poursuivante au train, je
débouchai comme par enchantement sur une route
goudronnée, agrémentée dans sa perspective d'une
grosse maison carrée, placée là en sentinelle solitaire.

Je vis cela à la lueur de la lune, sortie tout exprès
pour moi d'un nuage sombre. Rencontrer enfin une
route digne de ce nom me plut beaucoup, mais ce qui
me plut moins, c'est ce que je crus distinguer au-delà
de la maison carrée. On aurait dit la mer. Si,
maintenant, je me mettais à avoir des visions...

Quoi qu'il en soit, je m'engageai sur cette route, en
direction de la bâtisse carrée Je n'étais qu'à une
centaine de mètres de celle-ci lorsque ma bagnole
refusa d'aller plus loin. Panne sèche.

Pendant quelques minutes, je restai très loin de
tout, affalé sur mon siège, à me remettre de ma
fatigue et de mes émotions, en respirant l'air humide
qui pénétrait par les blessures du pare-brise amoché.
Le vent qui soufflait déjà prit une ampleur violente,

tournicotant autour de la voiture, glissant soyeusement sur le toit et finissant par venir me caresser le visage. Dominant la plainte du vent, un clapotis de flotte se faisait entendre à proximité. A part ça, c'était plutôt calme.

Je me secouai, consultai ma montre toujours arrêtée, ce qui ne m'avança guère, et descendis me dégourdir les jambes sur les bas-côtés herbeux.

Pour la centième fois, je me posai la question · dans quel foutu coin mes truands fouilleurs, matraqueurs et kidnappeurs m'avaient-ils amené ?

De part et d'autre de la route qui, à cet endroit et sur une longueur indéterminée, ressemblait à une digue bordée d'un parapet en maçonnerie, s'étendait jusqu'à l'horizon ce que, tout à l'heure, mon esprit brouillé avait pris pour la mer, et qui n'était, en définitive, qu'un vaste étang dont les eaux, agitées par le vent, miroitaient sous la lune, chaque fois que celle-ci se dégageait d'un nuage.

Ce n'était pas mal, comme paysage. Très décoratif Un peu romantisme vénéneux. Ça aurait intéressé un touriste.

Je me penchai par-dessus le parapet.. L'eau léchait, en écumant jaune, le mur de soutènement à la base duquel poussaient des arbrisseaux ondulants. Un peu plus loin dans le prolongement de l'ouvrage, elle semblait s'engouffrer sous la route par une ouverture pratiquée à cet effet, en direction de la massive piaule carrée déjà dite et que, sans raison précise, je m'en fus examiner de plus près.

Elle n'apportait aucune touche folichonne au tableau. Ses fenêtres murées, son unique porte de bois grossier maintenue fermée par un cadenas rouillé de la dimension d'une poêle à frire, ses fondations trempant dans l'eau hostile, en faisaient, du moins dans la disposition d'esprit où j'étais, une caricature de maison Usher. Mais, sauf erreur et en dehors de tout délire d'interprétation, cet édifice apparemment à l'abandon devait, tout bonnement, abriter des vannes ou quelque autre mécanique de ce genre. J'étais tombé juste, je m'en rendis compte plus tard, mais, pour le moment, cela ne m'instruisait pas des masses sur ma position par rapport au méridien de Paris...

Je revins à ma bagnole, sortir du coffre le bidon d'essence de secours et transvasai le coco dans le réservoir. Après quoi, j'allumai ma pipe et quittai ces lieux désolés. J'avais toujours la désagréable impression d'être aux cinq cents diables.

C'était une impression injustifiée. Environ deux kilomètres plus loin, à un carrefour endormi et silencieux, la lumière du phare qui me restait débusqua toute une armée de poteaux indicateurs. Christ-de-Saclay... Versailles... Jouy-en-Josas... Paris...

Je rentrai dans Paris par la porte d'Orléans. J'avais faim et soif. Je m'arrêtai à Montparnasse, où ces deux besoins pouvaient se satisfaire, en dépit de l'heure avancée. Deux après minuit.

Quarante-cinq minutes plus tard, restauré, épousseté, presque plus fatigué du tout mais un peu nerveux, j'étais devant la porte de mon appartement.

Couché en chien de fusil sur le paillasson, un tas de vieilles frusques à la réforme — espadrilles boueuses, blue-jean rapiécé, imperméable crasseux, etc. — y ronflotait doucement.

* *
*

Je secouai le dormeur. Il grogna, bâilla et se mit sur son séant, mais en conservant les paupières baissées. Il roupillait peut-être encore.

A ce moment, la minuterie s'éteignit Je la fis repartir.

Entre-temps, le type avait ouvert les yeux Il les avait très noirs et chassieux, dans un visage juvénile dont la partie inférieure réclamait un coup de rasoir Sur le dessus du couvercle, ça allait, les cheveux bruns étaient même un tout petit peu plus courts que ne l'exigeait la mode ; pour tout dire, ça rappelait furieusement la coupe maison en honneur à Fresnes.. Il avisa les clés que je tenais à la main et bredouilla d'une voix brumeuse

— Oh ! z'êtes m'sieu Burma, hein ?

— Oui. Et vous ?

— Jean.

— Jean comment ?

— Jean tout court C'est mon nom de famille Je vous attendais.

— Je le vois. Pourquoi ?

— Je voudrais vous parler

Il se mit mollement debout Il avait tout de l'épouvantail à moineaux Il ramassa un journal qui était tombé de sa poche et le tint ensuite à la main comme s'il s'agissait d'un bouquet de fleurs dont il aurait voulu me faire hommage Il bâilla encore et frissonna. De froid, sans doute, car il ne faisait pas très chaud, sur ce palier

— O K., dis-je, en introduisant la clé dans la serrure Qui vous a donné mon adresse ?

— L'annuaire Je serais bien allé à votre burlingue, mais comme on est samedi, j'ai réfléchi que je vous trouverais plus facilement chez vous. J'ai risqué le coup.

Sa voix s'était affermie Un léger accent traînait à la remorque de certains mots.

— Vous auriez pu attendre longtemps dis-je

(J'ouvris la porte et manœuvrai l'interrupteur du vestibule.) ... Entrez...

Il entra, jetant un rapide regard circulaire. Un regard professionnel et évaluateur, eût-on dit. Je refermai la porte au pêne et fis la lumière dans le living. Sur mon invitation, il y passa et parut apprécier la douce chaleur qui y régnait.

— Asseyez-vous.

Il s'assit. Jusqu'à présent, il n'était pas contrariant. Il tenait toujours son canard à la main. Une main sale. C'était la période des mains sales. La plupart des gens que je rencontrais, aujourd'hui, étaient brouillés avec le savon. Je regardai les miennes. Elles n'éclataient pas de propreté, elles non plus. Il déposa son journal sur la chaise voisine de la sienne. Je lus un gros titre : *La Télé et ses mystères*.

— Oui, vous auriez pu attendre longtemps, poursuivis-je, reprenant la phrase commencée sur le palier. Puisqu'on est samedi... c'est-à-dire dimanche, maintenant... j'aurais pu être parti passer le week-end à la campagne...

— J'y ai pensé, mais j'ai risqué le coup. Je me suis amené vers onze heures... Vous m'êtes sympathique, ajouta-t-il. Je crois qu'on s'entendra, nous deux.

— Mais bien sûr, voyons ! Pourquoi pas ? Une cigarette ?

Entre-temps, je m'étais assis, moi aussi. Je lui tendis un paquet de gauloises.

— Non, merci, fit-il. Je préférerais un truc à bouffer.

J'en restai comme deux ronds de flan. Ils vous avaient de ces coupures, ces gars-là !

— Ça fait bien vingt-quatre heures que je jongle, essaya-t-il de m'expliquer.

— Fauché à ce point ?

— Pas à ce point, mais j'étais tellement nerveux

Votre nouveau
SAN-ANTONIO
est arrivé

tarte à la crème story

en vente partout

que ça m'a coupé l'appétit. Mais maintenant, je sens que je boufferais bien un morceau.

— Nerveux, pourquoi ?

— Je vous expliquerai.

— Bon. Il doit y avoir du brignolet et du jambon dans la cuisine. Servez-vous vous-même.

Nous allâmes dans la cuisine. Je lui indiquai où se trouvaient les aliments en question et, pendant qu'il se préparait un sandwich, je m'en fus dans ma chambre chercher le pétard qui remplaçait celui que les truands m'avaient fauché. Pour aller bavarder avec « Mme Dolguet », je n'avais pas jugé utile de le trimbaler (et j'avais fait aussi bien, car celui-là, aussi, ils me l'auraient étouffé) mais, maintenant, j'estimais qu'il avait sa place dans le décor. Le genre délirant, ça a son charme, mais il ne faut pas en abuser. Je retournai vers la cuisine, le revolver à la main. Mon zigomar, qui mordait déjà à belles dents dans le sandwich, faillit s'étrangler à la vue de l'engin.

— Eh là ! bégaya-t-il. Qu'est-ce que c'est que ça ?

— Un pétard.

— Je le vois bien, mais, bon sang ! qu'est-ce que vous avez à foutre d'un pétard ?

— Je ne sais pas. J'ai passé la soirée à m'en faire agiter sous le blair, sans pouvoir rien dire. Alors, peut-être que j'essaye de prendre ma revanche

— Sous le blair ?

— Oui. Par tes potes.

Il secoua la tête.

— Je comprends pas, m'sieu.

— Tant pis. C'était un gag. Il ne rend pas des masses, je m'aperçois.

— Un gag ?

— La télé m'en a commandé une douzaine Je les éprouve sur mes visiteurs nocturnes, quand j'en ai.

— Un gag ? Mon œil ! .. (Il secoua encore un coup

la tête D'un air navré, cette fois.) ... C'est égal. Je me demande si je vais l'ouvrir, maintenant. La confiance que vous m'inspiriez commence à foirer.

— Confiance ou pas confiance, tu l'ouvriras quand même Tu tiens un rôle. Je ne voulais pas te priver du plaisir de l'interpréter.

— Ah ! oui ? C'est encore un gag, ça ?

— Toi seul peut le dire. Allons, papa ! retournons dans le living.

Une fois de nouveau assis :

— Ecoutez, m'sieur, fit le type, sans s'arrêter de mastiquer, et parlant la plupart du temps la bouche pleine, écoutez, à votre place, je remiserais ce flingue, car j'ai pas du tout l'intention de me montrer méchant Mais, enfin, je comprends, et je me mets à votre place , je peux pas vous empêcher d'être méfiant Aussi, je vais essayer de vous mettre au parfum en vitesse Si j'ai fait une connerie, ça sera jamais qu'une de plus. Voilà : je suis dans le pétrin et j'ai pensé comme ça   à la lecture de certains canards   et de cet hebdo .. *Dimanche-Gazette*... (Il désigna le journal abandonné sur le siège voisin.) .. On parle de vous, là-dedans.. et c'est même ça qui m'a rendu nerveux   J'ai pensé que vous pourriez peut-être m'en sortir

— Sortir de quoi ?

— Du pétrin

— Quel pétrin ?

— Eh bien euh   il y a encore quelques jours, j'étais en cabane   (Machinalement, il débarrassa son falzar rapiécé des miettes de pain qui pleuvaient du sandwich)   Vous l'avez sans doute deviné à la coupe de mes tifs. Bon J'étais donc en cabane. A Lyon Ma peine tirait à sa fin. Dans deux mois, je devais décarrer J'avais pas intérêt à m'évader, hein ? C'est pourtant ce que j'ai fait Oh ! mais attention ! A

mon corps défendant, comme on dit. Figurez-vous
que j'étais en compagnie de deux Parisiens, des
agités qui avaient tout fignolé pour se trisser. Ils ont
pas eu confiance en moi. Ils ont pas voulu me laisser
derrière eux, des fois que je donne l'alarme tout de
suite après leur départ. Bon sang ! je l'aurais pas fait.
Je suis pas comme ça, moi. Je suis régulier. J'ai
essayé de leur faire comprendre, mais ç'a a été
comme si je pissais dans un violon. Ils étaient comme
vous : ils me connaissaient pas. Bref, il a fallu que je
suive le mouvement. A deux mois de la levée
d'écrou ! Si c'est pas malheureux ! Bref, on prend
congé de l'administration pénitentiaire. Je vous passe
les détails. Mes deux agités en question, c'étaient des
truands d'une autre envergure que mézigue. Moi,
vous savez, je suis plutôt du genre petit artisan. Un
tiroir-caisse par-ci, un pompiste par-là, et je me fais
crever à chaque coup, d'ailleurs. Enfin, passons. Mes
deux gars, pour en revenir à eux, ils étaient organisés
et tout, et un de leurs copains les attendait dehors,
avec une tire et des harnais de rechange. Forcément,
ils allaient pas se balader vêtus du droguet de la
taule, n'est-ce pas ? Y avait rien pour moi, dans leur
vestiaire, mais ils m'ont quand même dégotté ces
quelques saloperies...

Il montra avec dégoût les vêtements de clochard
qu'il portait.

— ... Ça traînait dans le coffre de la voiture, en
chiffons. Ils ont estimé que c'était assez bon pour ma
pomme. Evidemment, c'était mieux que rien. Là-
dessus, ils m'ont encore trimbalé avec eux, pour être
sûrs que je leur occasionne pas d'ennuis et, une fois
arrivés dans la banlieue de Paris, hop ! débrouille-
toi ! ils m'ont éjecté, en me remettant un peu d'osier,
oh ! pas lerche, juste de quoi voir venir.. Ils pouvaient pas faire moins. Bon. Enfin, tout ça pour vous

dire que moi, cette disparition dans la nature, ça me plaît pas des masses et que je suis à peine dehors que je me demande comment retourner en cabane sans trop m'attirer de pépins, avec les honneurs de la guerre, pour ainsi parler. Vous comprenez, c'est pas une nourriture, la vie que je mène depuis quelques jours. Pour deux mois que j'avais à tirer, je vais pas m'amuser à jouer les hommes traqués pendant je sais pas combien de temps, d'autant que, fatalement, sans un radis et fringué comme je suis, je finirai par tomber un de ces quatre et qu'en plus de mes deux mois réglementaires, je récolterai une rallonge pour cette connerie d'évasion involontaire. Bref, vous voyez dans quel pétrin je suis, n'est-ce pas ?

— Je vois, dis-je. Mais il me semble que rien n'est plus facile à arranger. Tu n'as qu'à te constituer prisonnier.

— J'en avais l'intention. Seulement, j'ai lu les canards. Ce *Dimanche-Gazette* et d'autres. Excusez-moi, mais c'est comme ça que j'ai appris votre existence. Alors, j'ai réfléchi... On se fait parfois de drôles d'idées, sur les flics privés, hein ?

— Des idées fausses, en général.

— Ouais... pas toutes. Un privé, c'est quand même pas un flic ordinaire, hein ? Je crois qu'on peut discuter, avec un privé ; s'arranger, quoi. Enfin, c'est ce que je pensais quand j'ai pris le chemin de votre turne...

— Et c'est ce que tu ne penses plus ?

— C'est ce que je pense toujours, malgré votre gag du pétard, comme vous dites. Alors, voilà... (De la main qui ne tenait pas le sandwich, il caressa son menton mal rasé.) ... Je viens ici, je vous raconte ma petite histoire d'évasion et vous me conseillez de me constituer prisonnier. Admettons que je suive le conseil. Qu'est-ce que vous en avez de plus ?

— Rien.

— Bon. Autre chose. Je suppose que si un demi-sel comme moi fait passer à l'as les deux mois qu'il doit encore à la société, ça vous empêchera pas de dormir, hein ?

— Certainement pas, mon vieux.

— Alors, au poil. Je vais risquer le paquet. J'ai confiance en vous. J'espère que c'est pas une confiance mal placée. Voilà : comme je vous l'ai dit, sans un rond et vêtu comme je suis, je vais pas tarder à retourner au ballon. Mais si j'avais assez de fric, je pourrais m'habiller convenablement et tenter ma chance de rester libre. Vous feriez comme si vous m'aviez jamais vu.

— Après t'avoir donné ce fric, si je comprends bien ?

— Oui.

— Et pourquoi te donnerais-je du fric ?

— Parce que nous serions associés, comme qui dirait.

— Associés ?

— Appelons ça comme ça.

— Mais dis donc, papa, dans une association, chacun apporte quelque chose. Qu'est-ce que tu apportes, toi, à part ton désir d'être mieux vêtu et de couper à la chtibe ?

— Ah ! voilà ! sourit-il. Je vous raconterai certaines choses ayant un rapport avec ce qui est arrivé ces jours-ci. Je veux parler de la mort de cette bonne femme de la télé.

J'allongeai une moue sceptique :

— Tu connaissais Françoise Pellerin ?

— Pas du tout. J'ai vu son nom pour la première fois dans les canards. Mais on laissait entendre qu'elle avait été la poule de Dolguet et j'ai connu Dolguet...

— Ah ? Et alors ?

— C'est ça qui vaut du fric.

— Simplement parce que tu as connu Dolguet ?

— Dolguet et...

Il hésita, puis ajouta, en clignant de l'œil et comme s'il se jetait à l'eau :

— Et Dubaille.

— Ah ! ah ! qu'est-ce que c'est que ce Dubaille ?

— Un Don Juan. Et aussi autre chose. Mais avant d'aller plus loin, on devrait discuter un peu finances. Je...

Il s'interrompit. On venait de sonner à la porte de l'appartement. Une petite sonnerie amicale, en fantaisie légère et rassurante. Tac, tagadaga-tsoin-tsoin. Ouvrez, ouvrez, ce n'est pas un huissier, ni l'encaisseur du Gaz. C'est un petit copain, un poteau, un aminche.

Nous restâmes quelques secondes à nous considérer mutuellement, le jeune clochard et moi.

En bas, dans la rue déserte, un auto attardée passa à vive allure, rompant le silence nocturne du bruit de ses pneus arrachant le pavé.

— Qu'est-ce que c'est que ça ? fit mon évadé malgré lui, en baissant instinctivement la voix.

Son visage fatigué revêtit une expression de mécontentement qui pouvait aussi bien, au choix, infirmer que confirmer ce à quoi j'étais en train de penser.

— Qu'est-ce que c'est que ça ? Encore un gag ?

— Je le crains, soupirai-je. Un gag. Celui qui fout tout en l'air. Juste au moment où je commençais à marcher. Tes copains auraient dû attendre encore un peu avant de se manifester. Pas de veine, hein ? Vous avez mal minuté votre sketch.

Sa figure se crispa de dégoût.

— Bon sang! jura-t-il. Vous vous imaginez que c'est un coup monté?

— Pourquoi pas? Ça ne ferait jamais que deux à un très bref intervalle. Je commence à avoir l'habitude.

Il haussa les épaules :

— Tenez! vous me faites marrer, fit-il, avec une grimace supplémentaire démentant ses paroles.

Cependant, là-bas, sur le palier, le musicien poursuivait ses petits exercices de sonnerie en fantoche, avec obstination, mais sans s'énerver outre mesure.

— Qu'est-ce qu'on fait? demanda la jeune cloche. On laisse carillonner jusqu'à midi?

— Je ne sais pas. On ne m'a pas communiqué le scénario.

— Oh! la barbe!... (Il engloutit le reste de son sandwich.) ... Ce sont les flics, hein? Je sais pas comment vous vous êtes débrouillé pour les avertir, mais le fait est que vous l'avez fait.

Nous formions une belle paire! Pour trouver deux types aussi marioles que nous, il aurait fallu aller loin. Il est vrai que nous étions surmenés, lui et moi.

— Ce ne sont pas les flics, dis-je. Je n'ai averti personne et je n'attends personne.

— Moi non plus.

Je vrillai mon regard au plus profond de ses yeux noirs. Il ne semblait pas vouloir me mener en barque.

— Bon sang! dis-je. Qui est-ce, alors? A cette heure-ci!

— Oh! la barbe! Z'avez qu'à y aller voir. Z'êtes chez vous, non?... (Il se tassa sur son siège.) ... Vous m'enlèverez pas du cigare que ce sont les flics. Eh bien! je m'en cogne. Fallait que ça se termine comme ça. Je pouvais pas toujours cavaler.

— Ferme ça et lève-toi! C'est toi qui vas y aller voir... (Je ne m'étais pas démuni de mon flingue. Je

l'agitai un peu.) ... Toutes réflexions faites, j'aime
mieux te sentir devant moi que derrière.

— La barbe ! répéta-t-il. Si y a que ça pour vous
faire plaisir...

Résigné, il se leva et, glissant sur ses espadrilles
silencieuses, se dirigea vers le vestibule obscur,
laissant la porte de communication ouverte derrière
lui, de façon à y voir relativement clair. Il ouvrit la
porte du palier, simplement fermée au pêne, à
l'instant précis où je me mettais debout, sans trop
savoir ce que je voulais faire, sans trop savoir ce qu'il
me fallait penser. La signification de toutes ces
comédies — si comédies il y avait — continuait à
m'échapper totalement. Il ouvrit donc la porte.

Trois coups de feu retentirent sous l'impact des-
quels je le vis tressauter, en proie à un hoquet
tragique.

En un ultime et instinctif geste de sauvegarde, il
tendit le bras et, s'abattant de tout son poids contre le
panneau, referma violemment la porte.

C'était un peu tard. La mort était déjà entrée.

CHAPITRE V

LE CADAVRE PREND LE FRAIS

Il pivota et me fit face. Les mains croisées sur son ventre, il essayait de contenir le flot de sang qui en jaillissait. Ou il n'essayait peut-être pas. De toute façon, c'était sans importance. Dans son visage exsangue, la barbe de huit jours prenait tout son relief. Ses yeux noirs, brusquement vitreux et opaques, regardèrent dans ma direction, mais au-delà de ma désormais négligeable personne, très loin, là où il n'y avait plus rien à regarder... Il fléchit les genoux et s'écroula face contre terre, avec un assez discret mais sale bruit.

Je réalisai alors seulement que, jusqu'à présent, j'étais resté pétrifié, la bouche ouverte pour livrer passage à un prolongé cri silencieux, et la mâchoire contractée. Et avec toujours, au poing, ce revolver dérisoire et ridicule.

Je m'ébrouai, rangeai l'arme inutile dans ma poche, enjambai le cadavre et allai fermer la porte au verrou, encore qu'un retour offensif du meurtrier de mon clochard de visiteur fût fort improbable. Ensuite, je m'en fus au lavabo m'asperger le portrait d'eau froide. Et après une incursion dans la cuisine, rayon des spiritueux, je revins auprès du corps.

Comme je me penchais sur lui, la sonnerie du

téléphone stridula, m'arrachant les dents et me meurtrissant les oreilles. Je laissai sonner trois fois, sans raison particulière. Enfin, je décrochai, après m'être assis à côté de l'appareil.

— Allô!

— Ah! patron! c'est vous, enfin? Dieu soit loué...

C'était Hélène.

— ...Je suis bien contente de vous avoir enfin au bout du fil. Vous leur avez échappé?

— Echappé à qui?

— A vos ravisseurs, pardi!

— Ah! vous êtes au courant?

— Bien sûr! Qu'est-ce que j'ai pu m'inquiéter! Nous n'étions convenus de rien lorsque vous êtes parti pour ce rendez-vous avec Mme Dolguet; mais, enfin, j'attendais plus ou moins un coup de fil de votre part, après cette entrevue. Soit au bureau, soit chez moi, où je suis rentrée tout de suite après avoir mangé un morceau. Les heures ont coulé sans que vous vous manifestiez. J'ai commencé à me faire de la bile. Il pouvait être dix heures, à ce moment-là. Vingt-deux heures. J'ai téléphoné chez Mme Dolguet. Pas de réponse. Alors, je ne sais pas, moi... enfin, une intuition, peut-être... j'ai eu l'idée d'aller voir rue d'Alésia. Après tout, je travaille pour un détective, n'est-ce pas?

— Oui, oui.

— Et puis, il faut bien l'avouer, la façon que cette bonne femme avait eue pour vous convoquer. . au lit, pour ainsi dire. « Je n'ai même pas le courage de m'habiller... » Enfin, bref...

— Oui.

— Bon. Je vais donc rue d'Alésia. Rien d'anormal dans le coin, sauf que je ne vois pas votre voiture parmi celles rangées le long du trottoir... Je monte au second. Je sonne. Pas de réponse. Mais j'aperçois la clé, restée dans la serrure. Ma foi! j'entre. Tout est obscur. Je trouve un commutateur. J'allume. Je fais quelques pas dans l'appartement, et me voilà en présence d'une blonde ligotée sur un divan. C'est Mme Dolguet, elle me l'apprendra plus tard. Sur le moment, j'ai eu peur. J'ai cru que c'était vous qui l'aviez traitée comme ça. Quoi qu'il en soit, entraide féminine, je la délivre et me débrouille pour lui inspirer suffisamment confiance pour qu'elle me raconte le peu, ou un peu, de ce qu'elle sait. Ça n'a pas été tout seul, mais enfin j'y suis arrivée. Alors, voilà : elle m'a dit que des types, dont elle ignore le nom, mais qu'elle connaissait pour avoir déjà reçu leur visite, il y a quelques mois, étaient revenus le jour même et, après l'avoir réduite à l'impuissance, avaient utilisé son appartement et son téléphone pour vous attirer dans un piège. Elle les a vus vous sauter dessus, vous endormir, vous envelopper la tête d'un jupon noir... un jupon à elle... pour faciliter l'effet de la drogue, sans doute, et puis encore, pour sortir, vous coller un masque de carnaval. Astucieux, n'est-ce pas? Ainsi affublé, et tenu sous les bras par deux types, on pouvait vous trimbaler dans la rue, sinon sans attirer l'attention, du moins sans que d'éventuels badauds y voient autre chose qu'une bonne rigolade d'ivrognes. Il est à supposer, d'ailleurs, qu'ils n'avaient pas beaucoup de distance à parcourir. Juste à traverser le trottoir, sans doute, le long duquel une bagnole devait attendre. Voilà ce que m'a raconté Mme Dolguet. Je me suis convaincue qu'elle disait la vérité. C'est là que j'ai commencé vraiment à me faire du mouron. Quelle décision prendre? Avertir la police? Outre que Mme Dolguet n'y tenait pas, ces truands l'ayant menacée des pires représailles si elle s'adressait à elle, je ne savais pas si ça serait de votre goût, et puis, de quel secours pourrait-elle nous être, dans l'immédiat ? Vous étiez aux mains de ces types depuis plusieurs heures. S'il devait vous arriver malheur, c'était déjà fait. Alors, que voulez-vous, je suis rentrée chez moi et je me suis bornée à composer votre numéro de temps en temps, dans l'espoir que vous finiriez par répondre. Vers deux heures du matin, tombant de fatigue et à bout de nerfs, je me suis endormie. Je viens tout juste de me réveiller. Et, vous pouvez le constater, ma première pensée a été pour vous : je vous ai téléphoné et, cette fois, vous avez répondu. Vous ne pouvez pas savoir à quel point je suis soulagée.

Elle pleurait presque.

— Mais si, mais si, dis-je.

— Oh ! je bavarde, je bavarde, et je ne vous demande même pas... comment ça s'est passé ?

— Comme ça.

— Enfin, vous leur avez échappé. C'est l'essentiel. Comment avez-vous fait ?

— Je vous expliquerai plus tard.

— Pas trop de dégâts ?

— Pas trop.

— Mais qu'est-ce que c'est que ces types, en fin de compte ?

— Des types.

— Des...

Elle s'interrompit et je n'entendis plus, sur la ligne, que la sourde friture habituelle, faite de mille bruits imprécis, en arrière-fond sonore pas gênant, plutôt rassurant, même, comme un écho du monde environnant. Des types ! Hélène devait ruminer cette réponse qui n'en était pas une. Enfin, un profond soupir me parvint :

— Dites-moi, patron ?

— Oui.

— Vous êtes malade ou quoi ?

— Je vais très bien.

— Vous ne m'avez pas l'air très bavard.

— Ah ?

— Oui. D'habitude, vous l'êtes davantage. Vous m'avez laissé parler sans m'interrompre. Vous êtes sûr que vous n'êtes pas malade ?

— Mais oui, voyons !

— Oh ! ce ton ! On dirait que je vous agace.

— Mais non.

— Ah ! j'y suis !...

Petit rire sournois, faussement désinvolte.

— ...Eh bien ! vous, alors !

— Quoi donc ?

— J'ai compris. Vous n'êtes pas seul.

— Si, je suis seul.

— Ça va. J'ai compris. C'est une blonde, aussi ?

Je fus sur le point de ricaner : « C'est un brun, aux yeux d'anthracite. Avec une barbe de huit jours et lesté depuis quelques minutes de trois pruneaux blindés. » Mais je me contentai de répliquer, assez mollement, d'ailleurs, j'ignore pourquoi :

— Non, ce n'est pas une blonde.

— Enfin, peu importe la couleur de la bête, trancha Hélène. Du moment que... Ça va. J'allais dire des impudicités. Bonne continuation.

Elle raccrocha. J'en fis autant.

Je retournai à la cuisine retâter du vulnéraire et revins auprès du macchabée. « Bonne continuation », qu'elle avait dit, Hélène. Cette fois, rien ni personne ne m'empêcha de me pencher sur lui. Il gisait de telle manière qu'il m'était impossible de le fouiller sans le déplacer. Très exactement, il m'aurait fallu le retourner sur le dos. Ce n'étaient pas des trucs à faire. En tout cas, c'étaient des trucs qui ne plairaient pas aux flics...

A ce moment, il me sembla que quelque chose, je n'aurais su dire quoi, n'allait pas. Il y avait, dans l'atmosphère, comme une absence. Et soudain, je compris. Les coups de feu, sans produire un assourdissant vacarme, avaient tout de même fait un certain barouf... qui aurait dû réveiller les voisins (j'en avais un à l'étage et j'étais pris verticalement en sandwich entre deux autres), attirer leur attention et leur curiosité. Or, jusqu'à présent, ça m'avait échappé, personne ne semblait s'être inquiété. C'est ainsi que commencèrent à germer en mon esprit des idées de mauvais citoyen qui y étaient déjà et qui ne demandaient qu'à prospérer.

J'allai à la porte et l'entrebâillai. Le palier et l'escalier étaient noirs et silencieux. Un silence de bon aloi... Je réfléchis que nous étions dans la nuit de samedi à dimanche et que, si ce n'était pas encore la belle période propice aux week-ends, le printemps se faisait suffisamment sentir pour que des Parisiens en profitent. (Bien sûr, le printemps en question choisit ce moment-là pour se manifester en battant mes fenêtres d'une rafale de vent chargée de pluie ; il n'en restait pas moins que la journée avait été douce, incitant aux départs.) Apparemment, mon voisin immédiat avait déserté son domicile et d'autres locataires de l'immeuble avaient dû l'imiter. Cette constatation, quoique toute théorique, ne fit qu'activer la pousse de mes fameuses pensées fort peu civiques.

Je refermai la porte et, pour la troisième fois, revins auprès du mort. Sans difficulté, je le retournai sur le dos. Le pauvre bougre ne pesait pas des tonnes. Tant mieux ! Je l'examinai. Il avait stoppé deux projectiles dans le ventre et un troisième en pleine poitrine Toute cette ferraille était restée à l'intérieur Il avait abondamment saigné et le devant

de son imper crasseux était tout maculé. Toutefois,
en courant vite, ça ne se remarquerait pas. Quant au
lino de mon vestibule qui, évidemment, conservait
des traces sanglantes de ce sketch impromptu, il se
lavait aussi aisément qu'une culotte de nylon, et
c'était moins fragile. De ce côté-là, pas de pépin.

Je foullai le gars et ne ramenai de mon exploration
que des bricoles sans intérêt. Pas la moindre enveloppe, le plus petit fragment de lettre, l'ombre d'une
pièce d'identité. Sauf le numéro de *Dimanche-
Gazette,* je refourrai ma maigre récolte dans les
vagues du mort, y compris le fric (juste un bifton de
mille). Il n'en avait plus besoin, mais je ne voulais
pas que ça ait l'air d'un crime crapuleux. Ce n'en
était d'ailleurs pas un.

Maintenant, le plus coton restait à faire.

Oh! ce n'était pas bien, ce que je me proposais
d'entreprendre. Ni bien ni élégant et, outre que cela
exigeait un estomac solide, bougrement risqué. Mais
si je me conduisais en citoyen respectueux des lois et
que j'informe les flics, je n'en aurais jamais fini avec
eux. Il faudrait tout leur bonnir, ensuite de quoi je
serais tellement surveillé qu'il n'y aurait plus mèche
de s'occuper de rien. Or, je tenais à continuer à
m'occuper de ce micmac, moi.

Je consultai en vitesse une carte des environs de
Paris, avalai un dernier verre de fortifiant, coiffai une
gapette et revêtis un vieux trench-coat. Je boutonnai
ensuite soigneusement celui du pauvre mec qui était
venu se faire buter chez moi (très certainement à ma
place), chargeai ledit pauvre mec sur mes épaules et
hop! en route, mauvaise troupe, nous allons prendre
le frais.

... Et la sauce, car, à présent, la pluie tombait dru.
Je l'entendais qui martelait les volets et, lorsque

j'ouvris la porte, une bouffée d'air froid et humide, envahissant l'escalier par le vasistas d'accès au toit resté soulevé, m'enveloppa.

Notre petite balade hygiénique débuta plutôt mal. Dès les premiers pas hors de chez moi, je faillis trébucher et atterrir un étage plus bas en vol plané. J'avais marché en porte à faux sur un objet cylindrique qui traînait sur le palier. C'était une des douilles éjectées par le pétard de l'assassin pressé. Elles gisaient là, au nombre de trois, brillant faiblement sous la lueur chicharde de la minuterie. Elles aussi, il fallait les escamoter. Je me débarrassai un instant de mon lugubre fardeau et le réinstallai sur mes épaules, après avoir ramassé les douilles.

Re-départ. Je commençais à m'interroger sur le caractère génial de mon idée. Mais, maintenant, j'étais trop engagé sur la mauvaise voie pour reculer.

L'extinction de la minuterie me surprit entre deux étages. Fort heureusement, je connaissais l'escalier comme ma poche. N'empêche qu'un ascenseur m'aurait facilité le boulot. Faudrait que j'en parle au proprio. En lui exposant clairement à quelles fins je comptais l'utiliser (transports en tout genre, et notamment de cadavres), nul doute qu'il ne consente à installer une pareille mécanique.

Ainsi ruminant, transpirant et soufflant, accompagné en sourdine par le lamento du vent et le crépitement lointain de l'averse, je parvins au rez-de-chaussée.

Et là, je me dis que je n'avais plus qu'à remonter.

Je venais de penser à l'état dans lequel se trouvait ma bagnole. J'avais oublié qu'elle avait joué dans un western, voici quelques heures, et qu'elle en était sortie borgne et endommagée du pare-brise. Comme allure louche, elle battait les records. En venant, elle n'avait attiré l'attention de personne et je n'avais rencontré aucune ronde de police ; mais pour le voyage que je projetais, il n'en serait peut-être pas de même. Il me parut brusquement impossible d'arriver sans anicroche là où je devais aller. Le mieux était de regagner ma piaule, d'appeler les flics, de subir les conséquences des conneries déjà faites et d'envoyer tout balader...

Découragé, je fis demi-tour et repris l'escalier en sens inverse.

A la montée, mon fardeau pesait plus lourd qu'à la descente. Au premier étage, je marquai un temps d'arrêt. J'en avais véritablement plein le dos, au propre et au figuré, de ce macchab.

Et ce fut alors que, dans le silence hostile, à peine troublé par le zef et la pluie, j'entendis un bourdonnement caractéristique, suivi d'un petit claquement sec. Le bourdonnement de l'ouverture automatique de la porte de l'immeuble et le déclic de fermeture de celle-ci.

C'était la fin des haricots.

Un locataire attardé réintégrait ses pénates.

La bouille qu'il allait faire, en me découvrant comme ça, en cet équipage, au détour d'une marche ! Oh ! ça vaudrait certainement le coup d'œil !

La minuterie, que j'avais laissée éteinte, fut rallumée ; on baragouina quelque chose en passant devant la loge de la bignole, et des talons de femme martelèrent les dalles du corridor.

De mieux en mieux ! Dans un instant, la baraque allait retentir des cris perçants d'une crise de nerfs.

Je jurai à mi-voix et restai là, à attendre l'inévitable, maintenant mon malencontreux visiteur contre moi par les épaules, comme s'il s'agissait de glisser des paroles réconfortantes dans l'oreille d'un vulgaire pochard. Tu parles ! Plutôt blafard et avec un drôle de regard, il ressemblait à un ivrogne comme moi à Françoise Arnoul, vue de profil.

La femme, cependant, escaladait les marches. Et soudain elle nous aperçut, cézigue et moi. Elle s'immobilisa, une main sur la rampe, et portant l'autre à sa bouche pour empêcher le cri de passer ses lèvres, mais sans y parvenir complètement.

Je poussai un juron de soulagement.

C'était Hélène.

Hélène, enveloppée dans un imperméable de nylon, une écharpe, nouée sous le menton, encadrant son visage et protégeant une partie de sa chevelure flottante. Hélène, pas maquillée, mais combien adorable, avec, au bout de son nez, une impertinente goutte de pluie. Soit l'effet de l'ascension précipitée de l'escalier, soit l'émotion, soit la surprise, sa poitrine se soulevait tumultueusement.

— Mon Dieu ! fit-elle en écho à mon juron, lequel mettait également le Créateur en cause.

— Vous pouvez vous vanter de m'avoir fait peur, dis-je.

Mais ce n'était pas tout à fait un reproche.

Elle balbutia :

— Que se... se passe-t-il ?

— Rien. Enfin... peu de chose.

Elle n'avait pas bougé. Elle se cramponnait à la rampe, les yeux écarquillés. Nous restâmes *tous* un moment comme ça, muets, immobiles et silencieux. Autour de nous, les éléments murmuraient. Quelque part, une fenêtre mal assujettie battait sous l'action du vent, sur un rythme lancinant. Ou c'étaient peut-être nos cœurs...

— Qu'est-ce que c'est que... que cet homme ? parvint enfin à articuler Hélène, après une profonde inspiration.

— La blonde, dis-je. « Bonne continuation. »

Elle ne releva pas le propos. Elle dit :

— Il... cet homme.. on dirait... il a l'air...

— Il en a aussi la chanson. Il s'est fait descendre de trois coups de pétard, sous mes grands yeux étonnés.

— Trois coups de...

— Qui m'étaient vraisemblablement destinés.

— Mon Dieu ! et... (Elle avala sa salive.) ... Qu'étiez-vous en train de faire ?

— J'essayais de l'apporter aux objets trouvés. Bon. Maintenant, ne restons pas là. Montons chez moi... A moins que... Ce qui doit être fait doit être fait, pour si désagréable que ce soit. Je me suis trop avancé pour reculer. Vous êtes venue comment ? Je ne vous demande pas pourquoi.

— Vous pourriez.

— Inutile. Vous vous imaginiez avoir une blonde sur le cœur. Vous avez voulu la voir de près.

— Non. Excusez-moi, et tant pis pour votre vanité, mais cette histoire de blonde, c'était pour tromper l'ennemi, au cas où il y aurait eu un représentant de la loi auprès de vous, à vous surveiller. Je craignais quelque chose de ce genre. J'ai voulu en avoir le cœur net.

— C'était courageux, mais imprudent, mais je ne vais pas vous le reprocher. Je répète ma question : comment êtes-vous venue ? En taxi ou avec votre voiture ?

— Avec ma voiture.

— Elle est garée loin d'ici ?

— Juste devant la porte.

— Vous me la prêtez ? La mienne est inutilisable, pour ce que je veux faire.

— Et vous voulez faire quoi ?

— Emmener ce mec loin d'ici. Alors, vous me la prêtez ?

— Je vous accompagne.

— Des clous !

— Je vous accompagne, répéta-t-elle.

— Ça ne va pas être ragoûtant, vous savez ?

— Je vous accompagne.

Elle était têtue, la petite vache ! Là-dessus, la minuterie s'éteignit. Je la rallumai.

— Vous vous sentez assez forte et assez cinglée ?

— Oui.

Le temps fuyait.

S'éterniser devenait dangereux.

J'abrégeai la discussion :

— Comme vous voudrez. Vous êtes sûre de ne pas vous évanouir, d'ici cinq minutes ?

— Je vais m'assurer que la voie est libre, se contenta-t-elle de répondre.

Elle volta, dans un froissement de nylon, et redescendit l'escalier, ne me laissant qu'une bouffée de son parfum que l'air humide avivait. Ses talons hauts ne produisaient plus aucun raffut.

*
* *

Quelques instants plus tard, nous roulions vers la barrière, notre colis funèbre dissimulé au pied de la banquette arrière.

Il régnait un temps épouvantable, en accord avec la besogne que j'accomplissais.

Nous croisâmes quelques rares bagnoles, mais rien qui ressemblât à des représentants de l'ordre.

De tout le trajet, nous n'échangeâmes pas un mot. Nous fumions et bâillions sans arrêt. Les nerfs ! Je conduisais et, pas une fois Hélène ne me demanda où nous allions. Lorsque, passée la porte de Châtillon, elle me vit foncer sur la Nationale 306, elle ne manifesta aucune curiosité. Quel que soit le chemin emprunté, elle devait penser que nous prenions celui de la taule. Transport et recel de cadavre. Le Code a prévu ce genre de divertissement.

Nous arrivâmes enfin à l'embranchement du Christ-de-Saclay. Je virai en direction de Jouy-en-Josas. Il ne pleuvait plus et, à l'est, la ligne d'horizon s'éclaircissait légèrement. Bientôt, de part et d'autre de la route que nous suivions, apparurent les eaux plombées du fameux étang qui semblait être au bout du monde et que j'avais découvert cette nuit.

Je stoppai devant l'édifice que je supposais devoir abriter les vannes.

Une auto que, depuis quelques kilomètres, nous trimbalions dans notre sillage, nous doubla et disparut sans autrement s'inquiéter de nous. Dans la minute qui suivit, une autre surgit en sens inverse, passa en trombe, et ce fut tout pour le moment, rayon circulation.

Une voix blanche articula :

— Mon Dieu ! tu ne vas tout de même pas...

Hélène n'acheva pas sa phrase. Je le fis pour elle :

— Le foutre à l'eau ? Non. Tranquillise-toi.

Je descendis de voiture, choisis une lourde clé anglaise dans le coffre et m'en servis pour démantibuler le cadenas de la porte rustique. Celle-ci gémit sur ses gonds rouillés lorsque je l'ouvris. L'intérieur de la bâtisse consistait en une unique et très vaste pièce cimentée, ne contenant que de la poussière et où flottait un subtil remugle. Dans un angle, une ouverture à ras du sol béait sur des profondeurs hostiles, mêlé au clapotis de l'eau, le sinistre grincement de la chaîne d'amarrage d'une barque de pêcheur.

Je revins à la voiture et entrepris d'en extraire son macabre passager. J'eus du mal. On aurait dit qu'il se trouvait bien, là-dedans ; qu'il ne voulait plus en sortir.

Bon Dieu ! ce n'était pas le moment de s'endormir sur le rôti. Encore un effort, pour en terminer avec cette dégueulasse besogne de cauchemar, un tout petit effort. Je fis cet effort et transportai le corps le plus rapidement que je pus dans son tombeau provisoire.

Je dis provisoire, car j'espérais bien qu'on ne mettrait pas des siècles à le découvrir. Je ne l'avais pas amené jusque-là pour qu'il y croupisse indéfiniment. Je tenais, au contraire, à ce qu'il fournisse un excellent sujet de conversation aux promeneurs du dimanche (s'il y avait des promeneurs — avec ce temps pourri ! — mais le temps pouvait s'améliorer), et que la maréchaussée procède à des investigations locales.

Ma corvée accomplie, je balançai les douilles dans l'étang, réintégrai la bagnole et remis le cap sur Paris.

De ma vie je n'avais eu aussi soif, tant désiré un coup de gnole. Je regrettai de ne pas avoir emporté quelque chose de raide.

Quelque chose de raide ! Oh ! merde ! J'avais de ces expressions ! Je me mis à rigoler nerveusement.

— J'aurais mieux aimé que ce soit une blonde, chuchota Hélène, au bout de quelques kilomètres.

Je comprenais ce qu'elle voulait dire. Je lui pris la main et la pressai doucement. Sa main était glacée.

— C'est fini, maintenant, dis-je.

Elle frissonna.

— Nous ne sommes tout de même pas des assassins, ajoutai-je.

— Non, fit-elle d'un ton peu convaincu.

Je ne répliquai pas. J'éprouvais les mêmes sentiments.

Le jour se levait lorsque nous regagnâmes mon

domicile. Hélène n'avait pas voulu que je la reconduise chez elle. Elle ne se sentait pas le courage de rester seule.

Tout en songeant aux aubergistes sanglants de Peirebelhe, je nettoyai le lino du vestibule. Je sortis ensuite d'un placard un vieux tapis qui s'y morfondait et l'étalai sur la tache humide. A propos de placard, celui aux spiritueux contenait de quoi soûler une demi-douzaine d'éponges. Nous ne nous soûlâmes pas, mais nous bûmes un bon coup.

CHAPITRE VI

L'INTERESSANT M. DOLGUET

Je me réveillai vers midi. Dans la chambre d'amis, Hélène dormait encore. Je me douchai, me rasai et préparai du café pour un régiment. Pendant qu'il passait (le café, pas le régiment), je pris connaissance du numéro de *Dimanche-Gazette* qui avait motivé, à en croire son dernier possesseur, la visite de celui-ci.

Le titre raccrocheur d'un article qui m'avait déjà tiré l'œil, la nuit précédente : *La Télé et ses mystères,* était un tantinet abusif. Le texte n'en tenait pas les promesses. Son auteur (anonyme) prenait prétexte de la mort de la speakerine, des menaces qu'on disait qu'elle avait reçues, et de la présence sur les lieux du drame du « privé » Nestor Burma (« Bien connu de la police », signalait incidemment le zigue, avec un air fin ; je me demandai dans quel sens il me fallait prendre le propos), pour traiter de tout et de rien. Il rappelait aussi l'incendie qui avait ravagé les studios des Buttes et se félicitait du remplacement de certains vieux bâtiments par des constructions tout ce qu'il y avait de moderne. A propos d'incendie, il en venait à celui qui avait coûté la vie à Henri Dolguet, un technicien regretté de tout le monde, « car il avait bon cœur ». De ce bon cœur, Dolguet avait, d'ailleurs, été victime. En effet, c'était en tentant de sauver quelqu'un que, suffoqué par la fumée et surpris par les flammes, il avait succombé. L'auteur de ce papier fourre-tout à la démarche zigzagante l'avait commencé en parlant de Françoise Pellerin. Il bouclait le cercle imparfait en terminant ainsi : *La dernière fois que nous vîmes Françoise Pellerin, autrement que sur le petit écran, ce fut lors de ce dramatique accident qui lui ravit l'affection d'Henri Dolguet. Quel atroce destin a voulu qu'ils aient tous deux une fin tragique ?* Là-dessus, le gars était allé noyer son émotion au bar le plus proche.

Je repliai le journal et, à ce moment, je sentis une présence dans mon dos. Avant que je me sois retourné, une voix dit :

— Ça sent bon le café.

Enveloppée dans une de mes vieilles robes de chambre, pâle, les traits tirés, encore sous le coup de notre équipée de la nuit, Hélène se tenait dans l'encadrement de la porte de communication.

— On doit pouvoir le boire, dis-je.

Je le servis.

— Bien roupillé ?

— Oui, sauf que...

— Gueule de bois ?

— Entre autres...

Nous bûmes notre jus. Avec de l'aspirine. Hélène se passa la main sur le front.

— C'est égal ! Pourquoi avez-vous fait cela ? Je veux dire... l'éloignement du... de ce type ?

— Pour ne pas avoir les parties nobles cassées par les flics. Vous savez comment ils sont, avec leurs questions. Et comment ça s'est-il passé ?... Et que goupillait ce mec chez vous ?... Savez-vous qui c'est ?... etc.

— Justement... qui était-ce ?

— Je l'ignore...

Je lui racontai ce qui s'était passé, aussi bien ici qu'à la cambrousse, chez les Zitrone de carnaval.

— Tout semble vouloir s'articuler autour de Dolguet, conclus-je. Logiquement, sa femme devrait pouvoir nous rencarder sur ce personnage. Je ne crois pas qu'elle refuse de le faire. S'il l'a laissée tomber pour Françoise Pellerin, elle ne doit pas le porter dans son cœur. En admettant que la frousse ne l'ait pas fait se débiner aux cinq cents diables, nous pourrions peut-être aller la voir dans le courant de l'après-midi. Vous qui la connaissez déjà et à qui elle doit tout de même une fière chandelle, voulez-vous lui téléphoner?

Hélène s'exécuta. Mme Dolguet était chez elle. Elle accepta de nous recevoir sans empressement excessif, subodorant sans doute des emmerdements supplémentaires, mais elle ne pouvait décemment pas refuser une entrevue au patron de celle qui l'avait délivrée.

— Très bien, dis-je, une fois ceci réglé. Et maintenant, autre chose, petit chat... Ça ne vous semble pas bizarre, cette réflexion de « Zitrone », d'après laquelle j'aurais au moins trois cents millions de raisons de m'intéresser à Dolguet?

— Ma foi! je ne vois pas. C'est ce genre de phrases toutes faites qu'on emploie comme ça, machinalement. Mille mercis. Vous n'avez pas une raison, vous en avez mil... (Hélène s'interrompit, comme si elle venait d'être brusquement l'objet d'une illumination.) ... Oh! oh! poursuivit-elle, c'est que, justement, il n'a pas dit mille, votre gars!

— Il a dit trois cents millions.

— Et vous croyez que ça signifie quelque chose?

— Sûrement. Quand il a lâché ce chiffre, j'ai cru que c'était de l'imbécillité de sa part. Plus vraisemblablement, il faisait de l'esprit. Il voulait me dire:

« Allons ! vous savez bien de quoi nous parlons. »
C'est devant ma stupéfaction, d'ailleurs, qu'il a plus
ou moins perdu les pédales et s'est exclamé : « C'est
pas possible !... On ne peut pas s'être gourés à ce
point ! » En tout cas, moi, je ne crois pas me gourer
en pensant que tout ce micmac tourne autour d'une
affaire de trois cents millions.

— Mais trois cents millions de quoi ? Vous ne
voulez pas dire... trois cents millions de francs ?

— Si. Anciens, mais enfin, quand même... trois
cents briques.

— C'est fou, voyons ! Ce Dolguet... cette speakerine... comment rattacher ces gens à trois cents
millions de francs ?

— Je n'en sais rien, mais s'il n'y avait pas quelque
part un enjeu de cette importance, nous ne remar-
querions pas semblable agitation autour de nous. En
outre, il y a autre chose : la télé.

— La télé ?

— Oui. *Lecture pour tous.* Vous avez vu la dernière émission ?

— Non.

— Moi, je l'ai vue. A la clinique. Et je vais me
débrouiller pour la revoir le plus tôt possible, si c'est
kinescopé. Je demanderai à Lucot ou à Loursais s'ils
ne peuvent pas m'arranger ça.

*
* *

La veille, je n'avais fait qu'entrevoir Mme Jeanne
Dolguet. J'eus tout loisir, ce dimanche après-midi, de
mieux l'examiner. C'était une jeune femme de trente
ans environ et qui devait être assez jolie en temps
normal, c'est-à-dire quand personne ne s'avisait de la
ligoter, de la bâillonner, et de jouer sous ses yeux
verts des scènes de film de gangsters. Dans le cas

contraire, ce genre de mondanités lui laissait de mauvais souvenirs, la rendait craintive et influait sur son teint de peau. Quoique ses dessous fussent coquinement parfumés, ainsi que j'avais été à même de m'en rendre compte lorsqu'on m'avait enveloppé le cassis dans un de ses jupons, elle n'avait rien de la cascadeuse et ressemblait plutôt à une petite bourgeoise de bonne éducation.

— Je suppose, fit-elle d'un air embarrassé, que vous désirez quelques explications sur ce qui s'est passé hier, ici, n'est-ce pas, monsieur Burma? Vous savez... je n'y comprends rien et, ainsi que je l'ai dit à votre secrétaire, cette nuit, si j'ai déjà reçu la visite de ces affreux individus, il y a quatre mois, en décembre dernier, exactement, j'ignore tout d'eux...

— Et en outre, dis-je, prenant avec un sourire rassurant le relais que marquait son hésitation, ils vous ont menacée de représailles si vous vous montriez trop bavarde, n'est-ce pas?

— Ils m'ont surtout conseillé de ne pas aller me plaindre à la police, précisa-t-elle. Je leur ai obéi.

— Vous avez bien fait. Son intervention n'aurait fait que compliquer les choses sans bénéfice pour personne.

— D'ailleurs, comme je ne puis révéler rien d'important sur ces gens-là... Il ne me reste qu'à souhaiter ne plus les revoir, soupira-t-elle. Mes nerfs n'y résisteraient pas.

— Je crois qu'à cet égard vous pouvez vous tranquilliser. Ils vous ont surtout utilisée pour m'attirer dans un piège. J'y suis sottement tombé, mais je m'en suis tiré en beauté, ce qui prouve qu'ils ne sont pas aussi fortiches qu'ils le prétendent. Ce n'est pas après vous qu'ils en ont.

Pendant dix bonnes minutes, je m'employai à la persuader que notre entretien n'aurait aucune conséquence fâcheuse pour elle car, de toute façon, ce n'était pas pour obtenir des tuyaux sur ces truands que je lui avais demandé une entrevue.

— Voyez-vous, si cela ne vous est pas trop pénible, j'aimerais surtout que vous me parliez de feu votre époux. Pas plus que vous, je ne comprends la signification exacte des événements auxquels nous sommes mêlés, mais j'ai tout lieu de penser que votre mari, quoique décédé, en constitue le centre. Ses habitudes, son comportement, enfin mille petits aspects de la vie quotidienne projetteraient peut-être quelques lueurs sur ces mystères.

— C'est quand même inouï! s'exclama Mme Dolguet, en levant au ciel ses yeux verts. Comment! voilà un sale bonhomme qui m'a bafouée, ridiculisée, rendue malheureuse tout le temps que nous avons vécu ensemble, et qui maintenant, une fois mort, me crée encore des ennuis! C'est insensé! Je ne parle pas de votre présente visite, bien entendu. Je parle de ces personnages d'hier et de tout ce qui peut s'ensuivre...

A nouveau, je m'évertuai à la rassurer. Je l'eus à l'usure.

— Oh! ça ne m'est pas du tout pénible de vous parler de ce vilain coco d'Henri, fit-elle enfin, seulement je doute fort de pouvoir vous être de quelque secours. Il ne me racontait pas grand-chose de ce qu'il faisait, n'était pas, d'une façon générale, homme à se confier à une femme, et s'il avait des secrets, il ne me les a jamais fait partager. Evidemment, j'ai bien remarqué, de-ci, de-là, quelques bizarreries...

— Lesquelles? Le moindre détail peut avoir son importance.

— Le mieux est peut-être que je commence par le commencement, n'est-ce pas? Eh bien, voilà...

Elle était lancée. J'appris des choses assez intéressantes.

Dolguet, Henri pour les dames, était un fieffé coureur de jupons, elle s'en était aperçue trop tard. N'ayant pu arriver à ses fins avec elle qu'en l'épousant (elle avait des principes), il l'avait épousée. La cérémonie avait eu lieu en avril 1961, ça allait faire trois ans. Au bout de six mois, Henri Dolguet avait commencé (ou recommencé) à chasser sur d'autres terres. Il avait découché. Les reportages qui l'entraînaient en province, par exemple, et qui duraient généralement deux ou trois jours, s'étaient prolongés des huitaines. A la longue, Mme Dolguet en avait eu marre, et finalement, en décembre 1962, les deux époux s'étaient séparés. Jeanne Dolguet avait des principes, elle l'avait prouvé en ne cédant à l'avantageux technicien qu'après le mariage. Le divorce n'entrait pas dans ses manières de voir. Ils n'avaient donc pas divorcé. Enfin, elle était devenue veuve, il y avait sept mois, lorsque, en septembre dernier, Dolguet avait péri au cours du second incendie des studios des Buttes-Chaumont.

— Victime de son bon cœur, dis-je.

Mme Dolguet ouvrit des yeux ronds :

— Vic... victime de son bon cœur ? Henri ? Où avez-vous pris ça ?

— Dans un journal. *Dimanche-Gazette.* On dit qu'il a été surpris par les flammes en essayant de porter secours à quelqu'un.

— Lui ? Voler au secours de qui que ce soit ? Allons donc ! C'était un sale type, un lâche et un méchant !

— Alors, contrairement à ce que raconte encore *Dimanche-Gazette,* il ne collectionnait certainement pas que des amis, hein ?

— Certainement pas.

— Dans ces conditions... hum... oh! c'est juste une idée... Je me demandais si on ne l'avait pas un peu poussé dans le brasier.

— Qu'allez-vous penser là! C'était un sale type... Malgré cela, si on l'avait poussé, comme vous dites, ce serait horrible. Mais... les policiers, chargés de l'enquête sur l'incendie, n'ont jamais envisagé pareille possibilité. C'était un accident... Moi, un moment, j'ai bien pensé au suicide, mais j'ai vite abandonné cette idée.

— C'était un homme à se suicider?

— Non. Le suicide est une lâcheté, mais il réclame quand même un certain courage, si vous comprenez ce que je veux dire... et, de ce courage, Henri était incapable... mais, enfin, j'avais pensé ça comme ça.

— Comme ça. Sans raison?

— A vous parler franchement, pas tout à fait sans raison. Voyez-vous, les derniers temps de notre cohabitation, il m'avait paru bizarre. Alors, je m'étais dit qu'il était peut-être devenu complètement fou et qu'il s'était jeté dans le feu au cours d'une crise. Quand il est mort, nous étions séparés depuis neuf mois.

— Bizarre, comment? Dans son comportement, dans ses propos?

— Les deux. Parfois, il semblait apeuré, et, le lendemain, il débordait d'exaltation joyeuse. Apparemment sans raison. Ce n'est pas le propre d'un esprit équilibré. Un jour, c'était peu de temps avant notre séparation, en novembre ou décembre 1962, je lui avais dit, pour le blesser, qu'il ne serait jamais qu'un pauvre bonhomme de rien du tout, qu'il n'atteindrait pas à la réussite de Lechanin, un de ses collègues qui était devenu un producteur et réalisateur connu. Il s'est mis à rire comme un imbécile, m'a traitée d'idiote et s'est répandu en propos incohérents, criant que des types comme Lechanin, il les mettrait dans sa poche quand il voudrait et que, bientôt, on verrait lequel était le plus malin, d'Henri ou de lui.

— D'Henri ou de lui ? Curieuse façon de s'exprimer. Il parlait de lui-même à la troisième personne ?

— Par Henri, il désignait Lechanin. Ce Lechanin se prénommait également Henri.

— Ah ! bon. Ensuite ?

— Eh bien, je lui ai dit : « Henri et toi, ça fait deux ». Je trouvais la phrase comique et j'ai pû l'accompagner d'un sourire moqueur. Ah ! monsieur ! Si vous l'aviez vu ! Il est devenu furieux, s'est précipité sur moi en criant : « Qu'est-ce que tu dis ? », m'a giflée, et puis, aussi brusquement qu'il s'était emporté, il s'est apaisé. Il a répété : « Henri et moi, ça fait deux », m'a une nouvelle fois traitée d'idiote et il s'est mis à rire, mais à rire ! à rire !... un vrai rire de fou, cette fois. Il est parti, toujours riant, et n'est revenu que deux jours plus tard. C'est à la suite de cet incident, et c'est pourquoi sans doute je m'en souviens si bien dans ses moindres détails, que je lui ai proposé de nous séparer. Il n'a pas dit non.

— Oui, oui, fis-je, moi aussi. Il est donc revenu deux jours plus tard. Toujours rigolant ?

— Certes non. Comme s'il avait peur.

— D'être reçu à coups de manche à balai ?

— Oh ! non. C'était ce genre de peur qu'il manifestait de temps en temps, et à laquelle je ne vois comme explication qu'un dérangement mental, à moins que...

— A moins que ?

— Je me demande si la qualité de certaines de ses fréquentations... Voyez-vous, je vous ai dit que c'était un sale type. C'était aussi un pauvre type. Ses entreprises amoureuses ne tournaient pas toujours à

son avantage, et comme c'était plutôt un gringalet...
Je me souviens d'une fois où il est rentré d'un
déplacement en province avec le visage tout tuméfié.
J'étais encore naïve, à l'époque ; c'était peu de mois
après nos noces. Je lui ai demandé les raisons de ces
meurtrissures. Il a éclaté en blasphèmes et récrimina-
tions, hurlant qu'il avait été humilié, mais que ça ne
se passerait pas comme ça, qu'il les tuerait tous, etc.
Des mots, évidemment, rien que des mots ! mais il les
prononçait avec un accent ! Ce jour-là, j'ai mesuré
l'étendue de sa méchanceté. Pour en revenir à ses
fréquentations douteuses, et vous verrez qu'il existe
une sorte de rapport, il y a eu ce jeune voyou qu'il a
amené à la maison, ici même, six ou huit mois après
cette histoire.

— Un voyou ?

— Oui. Un nommé Roger, qui est resté ici trois ou
quatre jours, nourri, logé, en attendant d'avoir du
travail ou quelque chose comme ça. Du travail ! Je
me demande comment il espérait en trouver ! Il
logeait dans une pièce que nous avons, là, derrière,
qui tient plutôt lieu de fourre-tout, et il n'en bougeait
pratiquement pas. Et puis, il a brusquement disparu,
sans avertissement. Bon débarras. Ce n'est pas qu'il
se soit montré incorrect à mon égard, lors de son
séjour ici, mais enfin je me serais bien passée de sa
présence. Il a donc disparu, et je crois que c'est à
partir de ce moment que mon mari — pour qui la
disparition de ce Roger a été une surprise — a
commencé à marquer de l'inquiétude. C'est pourquoi, à propos de cette inquiétude, j'incriminais ses
fréquentations douteuses.

— Quels rapports ce type et votre mari entrete-
naient-ils ?

— C'est difficile à dire. Ils n'étaient pas très
bavards. J'ai supposé que ce Roger avait été embau-

ché par Henri en qualité de garde du corps. Pour éviter le retour d'une mésaventure comme celle que je vous ai contée, vous comprenez ?

— Hum... Après tout... Alors, ce type s'appelait Roger. Roger comment ?

— Je n'ai jamais su que son prénom.

— Parlait-il avec un accent ?

— Celui du Midi. Vous le connaissez ?

— Peut-être. Il n'était pas beau, n'est-ce pas ?

— Oh ! pour ça, non. Vraiment moche.

— Dolguet et lui se connaissaient d'où ?

— Henri l'avait ramené de la Côte d'Azur, où il était allé filmer, pour le compte de la télé, diverses manifestations artistiques en marge du Festival de Cannes.

— Cela se passait quand ?

— Avril-mai 1962... Ah ! maintenant, je comprends, pour ce Roger.

— Vous comprenez quoi ?

— Comment il se fait que vous le connaissiez. Vous avez dû le voir avec les... les gens d'hier, évidemment. Mon Dieu ! ajouta-t-elle, en se tordant presque les mains, de quelque façon qu'on s'y prenne, il faut en arriver à ces hommes d'hier.

— Ne craignez rien. Tout ce que vous direz restera entre nous. Quant à ce Roger... effectivement, je l'ai vu en compagnie de mes ravisseurs. Mais comment vous-même...

— Oh ! tout ça, c'est canaille et compagnie. Je me suis trop avancée pour reculer, maintenant, n'est-ce pas ? Bon. Je vous ai dit que nous avions hébergé ce Roger pendant quelques jours, et puis qu'il avait disparu. Je comptais bien ne jamais le revoir, mais je l'ai revu.

— Quand ?

— En décembre dernier. Lors de la première

visite de ces individus. Il avait maigri, depuis sa disparition qui remontait, à ce moment-là, à un an et demi environ, mais je l'ai bien reconnu. D'ailleurs, avec sa tête... De plus, il s'est rappelé à mon souvenir, se nommant, etc. Trois hommes l'accompagnaient, dont deux au moins — un grand gaillard et un petit bonhomme — avaient, relativement, des têtes d'honnêtes citoyens, mais il ne faut pas se fier aux apparences. Le troisième, un grand costaud aussi, avait, lui, alors là franchement, tout du gangster...

Je réfléchis que le grand et le petit, à bobines relativement honnêtes, devaient être, respectivement, « Zitrone » et le gars qui ressemblait au commis de ma perception. Quant à Tout-du-Ganster, c'était le copain de ce dernier, le deuxième faux aminche de Mairingaud.

— Et les voilà, poursuivit Mme Dolguet, qui me demandent si Henri est là. Je réponds non, sans trop savoir ce que je dis. « On va l'attendre », font-ils. J'ai eu un mal fou à leur faire comprendre : *primo,* que cela faisait un an que j'étais séparée d'avec mon mari ; *deuxio,* qu'entre-temps d'ailleurs — il y avait trois mois de cela —, il était mort dans l'incendie des Buttes-Chaumont. Ça a paru les contrarier. Le croiriez-vous ? Ils ont exigé des preuves de mes affirmations. Heureusement, je détenais un document officialisant notre séparation de corps, et, sur le livret de famille, le décès d'Henri était mentionné. Rendus à l'évidence, ils se sont mis à jurer comme des charretiers, puis ils ont tenu un petit conciliabule à voix basse, et enfin le grand à figure plus ou moins honnête m'a dit qu'ils allaient perquisitionner, qu'ils en avaient le droit et le devoir, parce qu'ils appartenaient à la police et parce que mon mari, de son vivant, profitait de certaines facilités offertes par l'exercice de sa profession pour se livrer au trafic de la drogue.

— Vous l'avez cru ?

— Absolument pas. Sauf, peut-être, en ce qui concerne la drogue. Je me suis demandée s'il n'y avait pas là l'explication de l'étrange humeur changeante d'Henri. Qu'en pensez-vous ?

— Je ne sais pas. Alors, ils ont perquisitionné ?

— Ils ont fouillé partout, n'ont apparemment rien trouvé et sont partis en me conseillant d'oublier leur visite. Ils ne prenaient même plus la peine de se faire passer pour des policiers. J'ai suivi leur conseil. Que voulez-vous ? J'avais peur.

— Je ne vous blâme pas... Et hier, ils sont revenus. Au grand complet, comme la première fois ?

— Non. Hier, il n'y avait que le grand aux allures de gangster et le petit, plus une femme d'un très mauvais genre. « C'est encore nous, m'a dit le petit. Nous avons besoin de votre appartement et de votre téléphone pour faire une farce à un copain. Asseyez-vous. Nous ne vous ferons aucun mal. » J'étais vraiment stupéfaite. C'est alors que le grand a grogné que tout ça c'étaient des chichis et qu'il fallait me ligoter, me bâillonner, etc. Il a eu rapidement gain de cause. Vous connaissez la suite... En partant, ils m'ont fait les mêmes recommandations que la première fois : « Tenez votre langue. » Je leur ai obéi, en ce qui concerne la police, mais, maintenant que je vous ai raconté tout ça, je me demande si je ne ferais pas aussi bien de l'en informer également.

— N'en faites rien. Je crois que vous n'entendrez plus parler de ces citoyens. Ils vous ont utilisée au maximum, si j'ose dire.

J'ajoutai toutefois qu'on ne savait jamais et que si elle pouvait prendre quelques jours de repos et aller les passer loin de la rue d'Alésia, ça n'en serait que mieux. Elle approuva. Cela réglé, j'en avais pratiquement terminé avec elle. Elle semblait m'avoir dit tout ce qu'elle savait. Encore une paire de questions et nous pourrions lever la séance. L'une de mes questions concernait le nommé Jean (ou soi-disant), mon visiteur malchanceux, actuellement en villégiature au bord d'un étang, l'autre, Dubaille, un nom, un simple nom. Aucun de ces deux noms ne rappelait quoi que ce soit à Mme Dolguet.

Là-dessus, nous prîmes congé.

Le dimanche, le *Crépu,* qui ne paraissait pas sous sa forme habituelle, publiait une édition sportive. Je l'achetai, en sortant de chez Mme Dolguet, et constatai que mon copain Covet n'avait pas attendu le lundi et le *Crépu,* disons officiel, pour tartiner l'article sur la mort de Françoise Pellerin que je lui avais suggéré d'écrire. Il s'était débrouillé pour le glisser dans le *Crépu* du dimanche. C'était un résumé succinct de l'affaire, mais l'important y figurait, c'est-à-dire l'adresse de la mère de la speakerine. Restait à savoir si ça servirait à quelque chose. Après tout ce qui s'était passé depuis mon entrevue avec Mme Pellerin, j'en doutais. Je n'en téléphonais pas moins à Reboul, mon auxi, de prendre dare-dare la faction auprès de la vieille dame.

Un peu plus tard, au Journal parlé de vingt heures, un speaker annonça que des promeneurs du dimanche avaient vu cette journée printanière assombrie par la découverte qu'ils avaient faite à l'étang de Saclay du cadavre d'un homme d'environ vingt-cinq ans, pauvrement vêtu, dépourvu de pièces d'identité et, d'après les premières constatations, tué par arme à feu. La gendarmerie de Seine-et-Oise enquêtait et avait déjà entrepris des recherches dans la région.

Au poil. Ce n'était pas pour autre chose que j'avais trimbalé ce pauvre bougre jusque là-bas. Je voulais que ça crée des remous dans le secteur.

CHAPITRE VII

L'AFFAIRE ALDERTON

Le lendemain lundi, vers dix plombes, au volant de la voiture d'Hélène (la mienne étant en réparation), je me présentai rue Cognacq-Jay, à la Télé. Résultat d'une combinaison harmonieuse de coups de fil successifs, j'avais rencart avec un prénommé Marcel, un gars démerde, m'avait assuré Loursais, gravitant dans l'orbe de l'état-major de *Cinq Colonnes*. Le Marcel en question était un sympathique jeune homme en veston de tweed. Après avoir lancé quelques coups de téléphone de droite et de gauche dans l'immense baraque, il me conduisit à la salle de projection, s'assit dans un fauteuil proche du mien, donna diverses instructions, et l'émission de *Lectures pour tous* que j'avais regardée, un peu distraitement je dois l'avouer, de mon plumard de traumatisé, se re-déroula sur un écran pour mon bénéfice personnel.

A cette émission-là, Albert Simonin, l'auteur du *Grisbi*, parrainait un « confrère » qui venait de publier une sorte d'étude anecdotique sur les gangsters. Ça s'intitulait *Mœurs, coutumes et légendes du Milieu*, et on parlait de tout, là-dedans : de la loi du silence, de l'honneur brigandesque, sans préjudice de détails inédits sur des affaires oubliées, etc. L'auteur, qui désirait conserver l'anonymat (et, à cet effet, il apparaissait aux téléspectateurs les traits dissimulés sous un loup noir), était ou un truand terriblement sérieux ou un aimable plaisantin. Brillait, dans la prunelle de Simonin d'abord, dans celle de Dumayet ensuite, lorsque celui-ci resta seul avec son invité, une étincelle railleuse qui pouvait vouloir tout signifier. Mais, enfin, ce n'était pas dans l'intention de sonder l'état d'esprit de Simonin et de Dumayet que je m'étais débrouillé pour obtenir cette projection privée. C'était pour vérifier certains propos, dont il était marrant de penser que, tenus à la TV par un homme masqué, y avait fait écho un autre homme masqué, le faux Zitrone, l'homme qui me supposait trois cents millions de raisons de m'occuper de Dolguet, technicien de TV, pour ne pas sortir de celle-ci. Les propos en question, oubliés aussitôt qu'entendus, mais que mon subconscient avait enregistrés, le gars au loup, maintenant, sur l'écran, les redébitait comme s'il ne s'adressait qu'à mézigue :

— En parallèle à l'affaire des bijoux de la Bégum, disait-il, il en existe une autre qui, dans le Milieu, fait un peu figure de serpent de mer. C'est l'affaire Alderton. On n'a jamais retrouvé les bijoux volés à Mme Alderton, voilà plusieurs années, et il est absolument certain qu'aucun « spécialiste » français ou étranger n'a participé à l'opération. C'est pourquoi beaucoup vous diront que les bijoux Alderton n'ont jamais existé. Personnellement, je serais tenté de le croire. N'empêche que certains ont vu là une nouvelle source de profits. Les bijoux Alderton, avec le temps, sont devenus l'équivalent de l'escroquerie au trésor espagnol. Dans le milieu même, ce qui est le plus beau. Des jeunes, principalement, sous prétexte qu'ils possédaient des tuyaux sur l'emplacement du magot, ont essayé de soutirer de l'argent à des caïds crédules. Evidemment, l'enjeu est de taille, s'il existe : les bijoux Alderton sont évalués à trois cents millions de francs. Mais moi, personnellement, je ne miserais pas un sou là-dessus.

Le type avait enchaîné sur un drame d'amour renouvelé de Casque d'Or. L'écran redevint blanc.

— Satisfait ? me demanda l'aimable Marcel.

— Oui, oui. Je vous remercie. Dites donc, tout le monde a l'air de prendre cette histoire de trois cents briques à la rigolade, hein ?

— Ils ont tort. J'ignore où traînent les fameux bijoux, mais je sais bien qu'ils ont été barbotés. J'ai assisté au vol, pour ainsi dire.

— Sans blague ? Racontez-moi ça !

— Il n'y a pas besef à raconter. A l'occasion d'à peu près chaque festival, Mme Alderton... Vous n'en avez jamais entendu parler ? C'est une vieille Américaine très francisée, et pas précisément économiquement faible. Mme Alderton, donc, à cette occasion, organisait une fête dans sa propriété des environs de Cannes. *Les Quatre Pins,* que ça s'appelait. Participation choisie, je ne vous dis que ça : académiciens, écrivains, stars connues, etc. Cette année-là... Ma foi ! ce n'est pas si vieux : c'était en 1962. Il me fait marrer, l'autre... (Marcel désigna l'écran qui n'en pouvait mais.) ... avec ses « plusieurs années ». A l'entendre, ça remonterait à l'Antiquité. Encore un qui jacte sans savoir, si vous voulez mon avis.

— Possible. Alors, cela se passait en 1962, à Cannes, lors du Festival du film ?

— A la fin du Festival. C'était la dernière manifestation mondaine en marge de celui-ci. Quelques attractions l'agrémentaient et la réception était télévisée. J'appartenais à l'équipe chargée du boulot. Pour une belle soirée, ç'a été une belle soirée. Le lendemain, dans l'après-midi, nous nous apprêtions à regagner Paris — plus rien ne nous retenait sur la Côte —, et voilà les flics qui nous tombent sur le paletot, à notre hôtel. Dans la nuit, il y avait eu du vilain aux *Quatre Pins*. On avait barboté tous les bijoux de la probloc et quelques autres appartenant à des invités qui, les lampions éteints, étaient restés à la villa. Trois cents millions de bijoux !

— Et les flics vous suspectaient, vous et vos copains ?

— Non, car ils connaissaient déjà plus ou moins le coupable : un gigolo bien de sa personne, un protégé (Marcel cligna de l'œil) de Mme Alderton, domicilié aux *Quatre Pins* depuis quelque temps et qui semblait avoir disparu en même temps que les bijoux. Mais, enfin, la routine policière exigeait peut-être qu'on nous interroge, qu'on nous demande si nous n'avions rien remarqué de particulier, au cours des journées précédant la réception, lorsque, pour les besoins de notre boulot, nous étions venus reconnaître les lieux et préparer notre émission. Nous ne voulions pas de l'improvisé. Nous n'avons rien pu apprendre aux flics et ils nous ont laissés tranquilles là-dessus, nous sommes rentrés à Paris. Voilà !

— C'est ce que vous appelez avoir assisté au vol, ça ?

— Bon. J'ai exagéré, convint-il en souriant. N'empêche que ce vol a eu lieu, puisque les flics sont venus nous emmerder, sans ménagement aucun pour nos gueules de bois.

— Il reste quelque chose de tout cela ? Je veux dire de la transmission télévisée de la réception Alderton ?

— Rien. Mais... hum... personnellement, je me suis amusé à tourner un petit film d'amateur, en marge. Et, sans me vanter, c'est mieux que les images retransmises.

— Vous pourriez me montrer ce film ?

— Pourquoi pas ? Mais faudra attendre cet après-midi. Il est chez moi.

— D'accord. A cet après-midi.

Un peu plus tard, de la cabine téléphonique d'un bistrot, j'appelai Hélène.

— Du boulot pour vous, dis-je. Allez à la Bibliothèque Nationale consulter quelques canards, de Paris et de Nice, de mai ou juin 1962, à l'époque du Festival de Cannes. Il s'agit d'un vol de trois cents millions de bijoux au détriment d'une riche Américaine : Mme Alderton.

— Trois cents millions ? répéta Hélène, en s'étranglant un chouia. Est-ce que vous tiendriez un fil, par hasard ?

— Peut-être. Rien de neuf, au bureau ?

— Un homme a téléphoné. Pas de nom. Il voulait de vos nouvelles. J'ai dit que vous alliez comme un charme. Ça n'a pas paru lui plaire. Il a grogné : « Ah ! bon », sur un drôle de ton.

— Ce doit être mon artificier de l'autre nuit qui s'étonne de ne pas avoir vu annoncer mes obsèques nationales. Vous en faites pas trop. Il ne va quand même pas remettre ça tout de suite avec son flingue.

Je déjeunai dans le coin, tout en lisant l'édition de midi du *Crépuscule*. On n'avait toujours pas identifié le macchabée de l'étang de Saclay, mais les recherches effectuées à tout hasard aux environs avaient permis de découvrir une mystérieuse propriété, au portail démantibulé, dont il semblait que les occupants se soient précipitamment envolés. Officiellement, on n'établissait pas de rapport entre les deux choses et on ne fournissait aucun détail. Je réfléchis que mes petites astuces avaient foiré, mais qu'étant donné la tournure prise, ce n'était peut-être pas plus mal.

Mon repas expédié, je pris la direction de Châtillon.

Je fis signer à Mme Pellerin, en lui laissant une copie, la lettre d'engagement pour l'enquête que je continuais au sujet de sa fille, lui restituai le porte-documents contenant la correspondance de celle-ci, vieilles bafouilles et photos dont l'examen ne m'avait rien appris, ensuite de quoi nous échangeâmes quelques mots. Je lui demandai à combien se montait la dette contractée par Olga, l'actrice, envers sa fille, dette remboursée par ladite actrice le samedi précédent.

— Cinquante mille francs, dit Mme Pellerin.

— Il y avait eu un papier de signé entre elles ?

— Je ne crois pas. En tout cas, je n'ai rien vu.

— Olga Maîtrejean et votre fille étaient très liées ?

— Je ne sais pas. Mais faut croire que oui... Vous savez, ajouta-t-elle, les deux jeunes gens (elle était bien aimable pour Reboul) que vous m'avez envoyés pour me protéger contre de mauvaises visites sont très gentils. Et le soir, ça me fait de la compagnie. Mais, vous voyez, il ne m'est rien arrivé.

— Je ne vous les ai pas adressés pour qu'il arrive quelque chose, dis-je en souriant.

Je quittai Mme Pellerin et repris le chemin de Paris. Avant d'aller retrouver l'aimable Marcel, rue Cognacq-Jay, je téléphonai aux studios des Buttes. Je voulais savoir où Lucot et compagnie en étaient avec leur « dramatique ». Renseignements pris, c'était de plus en plus en rideau. Il allait falloir remplacer Olga Maîtrejean, trop malade pour assumer son rôle.

*
**

Le film que le nommé Marcel avait tourné lors du raout mondain des *Quatre Pins* me fit tout d'abord passer un bon moment. Sous des dehors de premier communiant, ce Marcel cachait une âme de pamphlétaire. Impitoyable, sa caméra traquait avec brio les travers et les ridicules de certains invités. La bande était muette, mais le son n'y aurait rien ajouté.

— Tiens ! dis-je à un moment. En voilà une qui est déjà paf ou nerveuse de naissance.

La dame en question, plus très jeune mais bien conservée, un quadruple rang de perles autour du cou, venait de laisser tomber le verre de William Lawson qu'elle tenait à la main. En même temps, on aurait dit qu'elle clignait de l'œil. Ça manquait de distinction.

— C'est Mme Alderton, m'instruisit Marcel : la bonne femme aux bijoux.

— Elle n'en porte pas des masses.

— Paraît qu'elle ne les portait presque jamais. Tenez ! vous voulez voir à quoi ressemble un Don Juan de Côte d'Azur ? Mordez le type qui s'approche d'elle. C'est lui.

Un jeune gars bien découplé, athlétique, élégant dans son smoking, avec, sur son beau visage viril et sympathique, un sourire un peu cynique, accostait en effet Mme Alderton, lui entourait les épaules d'un bras onduleux, et susurrait on ne sait quoi à l'oreille de l'Américaine.

— Ça, alors, c'est formidable ! s'exclama Marcel. Je remarque ça seulement aujourd'hui. Vous avez vu ?

— Quoi donc ?

— Penché comme il est... Il bigle bougrement le collier

— Je croirais plutôt qu'il bigle les nichons de la dame.

— Des clous ! C'est le collier... Visez ! il joue avec

les perles ! D'ailleurs, je ne vois pas pourquoi je m'excite, son attitude est tout à fait normale, étant donné la suite. Tel que vous le voyez, il devait bien se marrer. Mais c'est égal ! ça fait tout drôle de découvrir après coup, comme ça, un sens caché aux images.

— Si je comprends bien, c'est le gigolo dont vous me parliez ce matin. Le voleur des bijoux... enfin, celui qui a disparu en même temps que les bijoux ?

— Lui-même.

— On n'a pas retrouvé les bijoux. Et lui, on l'a retrouvé ?

— Trois semaines plus tard, je crois. Dans une calanque déserte. Le flot de la Méditerranée l'avait rejeté

— Ah ! ah ! il était mort ?

— Buté par ses complices, a-t-on dit. Oh ! il a dû être regretté, sur la Côte ! De beaux yeux ont dû pleurer, à l'annonce de sa fin. Un Don Juan, je vous dis ! Et sympa. Même aux hommes. Curieux, hein ? Même les maris ne devaient pas lui en vouloir. Tenez, Dolguet, un confrère... il était avec moi pour téléviser cette réception... puisque vous vous occupez de ce qui est arrivé à Françoise Pellerin, vous avez dû entendre parler de Dolguet. Un chasseur, ce Dolguet ! Oh ! là là ! Un jour, il est entré disons en compétition avec ce Don Juan. Evidemment, c'était bien longtemps avant cette histoire Alderton et, avec le temps, on se calme, mais enfin quand même ! Je me souviens que Dolguet s'était fait proprement casser la gueule ; il aurait pu en ressentir pas mal d'acrimonie et exulter lorsqu'il a appris la mort de Dubaille, eh bien ! pas du tout. Il s'est contenté de dire qu'il ne porterait pas le deuil.

— Il pratiquait peut-être le pardon des injures. Alors, comme ça, ce Don Juan s'appelait Dubaille ?

— Oui. Dubaille. Albert Dubaille.

∗ ∗
∗

Hélène écrasa sa gitane dans le cendrier.

— Dubaille ! dit-elle. Albert Dubaille !

Il était sept heures du soir. Depuis soixante minutes, Hélène, de retour de la Bibliothèque Nationale, m'avait rejoint au bureau où, depuis que j'avais quitté la rue Cognacq-Jay, je réfléchissais et additionnais deux et deux. Nous avions échangé nos informations et je continuais à additionner deux et deux.

— Dubaille ! répéta Hélène. Le croiriez-vous ? Quand j'ai vu apparaître ce nom, dès le premier article dont j'ai pris connaissance, dans la presse de l'époque, je n'en ai ressenti aucune surprise.

— Rien d'étonnant. Il fallait bien s'attendre à voir ce Dubaille prendre place dans le décor un jour ou l'autre. Deux types déjà avaient annoncé sa venue.

Hélène alluma une autre gitane et demanda :

— Comment croyez-vous que tout cela se raccorde ?

— Assez clairement. Même sans le secours de ce vous avez glané à la Nationale, qui n'ajoute qu'un peu d'éclairage sur quelques points, avec seulement ce que j'ai appris grâce à ce providentiel Marcel et ce que je savais déjà, je pouvais construire une solide théorie. A part deux ou trois trucs qui me chiffonnent un peu, tout s'embringue parfaitement Ecoutez plutôt. Qu'est-ce que je savais ?... Qu'en mai 1962, à la fin du Festival de Cannes, Dolguet faisait partie de l'équipe chargée de téléviser la réception Alderton ; qu'à la suite de cette réception, on avait constaté la disparition de trois cents briques de bijoux ; que ces bijoux avaient été vraisemblablement étouffés par Dubaille, gigolo de la mère Alderton et que, trois semaines après le vol, le cadavre de

Dubaille avait été découvert dans une calanque. Ajoutons que ce Dubaille avait, un jour, malmené notre Dolguet. Je savais aussi que Dolguet, de retour à Paris, avait montré une humeur bizarre, et qu'il ramenait de la Côte, pour l'héberger pendant quelques jours, un nommé Roger, une jeune gouape à sale gueule, lequel Roger disait être une sorte de garde du corps de Dolguet. Je savais encore que ce Roger, aperçu chez mes kidnappeurs fort préoccupés de Dolguet, se vantait d'avoir zigouillé Dubaille... J'espère que vous avez compris et que la conclusion s'impose à vous aussi bien qu'elle s'est imposée à moi, non ?

— Je crois comprendre. Mais je comprendrais encore mieux si vous mettiez les points sur les *i*.

— Bon. Eh bien, voilà comment les choses ont dû se goupiller : lorsque, pour préparer avec ses collègues la retransmission télévisée de la prochaine soirée mondaine, Dolguet s'amène aux *Quatre Pins*, il se retrouve en présence de Dubaille qui, nous le savons maintenant, vit depuis plusieurs mois chez Mme Alderton, exactement comme s'il était le proprio. Je ne sais quel accueil ils se réservent mutuellement, nos deux juponniers. Peut-être feignent-ils de s'ignorer l'un l'autre. Mais, en tout cas, on peut supposer que, remis en présence de Dubaille, Dolguet décide de se venger de l'affront précédemment subi. Mais se venger comment ? Question poings, Dubaille surclasse toujours Dolguet. Pas question, donc, de remettre ça loyalement. Mais Dolguet peut demander l'aide d'un ou plusieurs voyous pour casser la gueule au Don Juan ou l'aider dans cette entreprise, un de ces voyous étant Roger. L'expédition a lieu. Seulement, voilà ! lorsqu'ils tombent sur Dubaille, celui-ci est en train de se débiner avec trois cents millions de bijoux dans un petit sac de voyage.

A partir de ce moment, les bijoux changent de mains : ils sont entre celles de Dolguet et de Roger, et c'est également à partir de ce moment-là qu'on ne sait plus ce qu'ils deviennent. Mais, plus tard, des gens — « Zitrone » et Cie — apprennent par Roger que le dernier possesseur des bijoux a été Dolguet, et voilà pourquoi ils s'intéressent à lui, même mort, et, par voie de conséquence, à ceux, comme moi par exemple, qui semblent s'intéresser à Dolguet. Est-ce clair ?

— Ça a l'air de tenir, fit Hélène. Mais vous parliez de deux ou trois trucs qui vous chiffonnaient...

— Oui. C'est à propos de Dubaille. Je ne comprends pas son comportement, à ce type. Il vivait comme un coq en pâte chez Mme Alderton. Bonne table et plumard garni. Quelle foutue idée de se compromettre dans une affaire aussi importante que ce vol de bijoux ?

— Eh ! peut-être était-il las du joug que Mme Alderton faisait peser sur lui. J'ai entendu dire qu'il était assez fréquent que ce genre de femme exerce une réelle tyrannie.

— Mais Mme Alderton était-elle ce genre de tyran ? En lisant les journaux de l'époque, vous vous êtes certainement fait un portrait de cette Américaine. Quel est-il ?

— On ne raconte pas grand-chose, dit Hélène, en consultant ses notes. Euh... Mme Barbara Alderton, une des personnalités les plus marquantes et les plus sympathiques de la société cannoise... Riche veuve... elle a été mariée trois fois. Son premier mariage s'est terminé par un divorce. Caractère enjoué, très égal, toujours jeune, jamais la moindre manifestation de nervosité ou d'irritation. A propos du caractère toujours jeune, on laisse entendre qu'elle approche de la cinquantaine. Ça doit vouloir dire soixante ans

— Et Dubaille ?

— Vingt-six

— Je ne vous demande pas son âge. Je vous demande son portrait moral.

— Euh . Gigolo professionnel. Très connu sur la Côte. Et même des flics, qui ont eu à s'occuper de deux ou trois histoires louches, concernant des bijoux, auxquelles il était mêlé. Mais aucune plainte n'avait jamais été officiellement déposée. N'empêche...

— Ouais. N'empêche. Des bijoux disparaissant dans son entourage, il était tout désigné pour faire figure de coupable. C'est pour ça qu'à sa place je me serais tenu peinard... Indiquait-on quelque part qu'il était intelligent ou non ? Sur l'écran, cet après-midi, il ne m'a pas donné l'impression d'être idiot, mais ça ne veut rien dire.

— Pourquoi me demandez-vous ça ?

— Parce que, à mon avis, il a été le pigeon.

— C'était aussi un peu l'opinion de la police, dit Hélène. D'après les journaux, elle avait plusieurs théories. Selon l'une d'elles, de plus malins que Dubaille auraient profité de sa situation privilégiée dans la place pour l'amener à voler les bijoux, puis se seraient débarrassés de lui.

— C'est ainsi que ça a dû se passer, sauf que, à mon avis, ce ne sont pas des complices qui l'ont éliminé, mais Dolguet et Roger s'interposant. Voyons... quelles ont été les constatations médicales, lors de l'examen du cadavre ?

— Fracture du crâne. Avec le fait qu'il ait été jeté à la mer, c'est la seule chose dont on soit sûr. Le corps avait séjourné près de trois semaines dans l'eau. On relève bien de nombreuses traces de gnons, par-ci, par-là, mais ils peuvent avoir diverses origines et ça ne veut rien signifier

— Couteau ? Revolver ?

— Rien qui y ressemble.

— Donc, il n'avait subi aucune attaque de ce genre. Ce qui confirme ma théorie. Dubaille n'a pas été tué délibérément. Ç'a été un accident, en quelque sorte. Dolguet et Roger ont tapé comme des sourds. Lorsqu'ils se sont aperçus qu'ils avaient eu la main lourde, il était trop tard. Alors, merde pour merde, autant s'y débattre pour quelque chose qui en vaille la peine, n'est-ce pas ? N'oublions pas qu'à ce moment-là ils devaient connaître la nature spéciale du bagage de Don Juan et être particulièrement surexcités. Et n'oublions pas non plus que Roger était, en outre, un poisse certainement apte à profiter des occases. Alors, ils ont décidé de s'approprier le magot et ils ont balancé Dubaille au jus.

Nous restâmes un instant silencieux. Je curai le fourneau de ma pipe.

— Il est tout de même surprenant, dit enfin Hélène, que la police ne soit pas remontée jusqu'à Dolguet, celui-ci ayant tenu ou non le rôle que vous lui prêtez. La rivalité qui l'avait opposé à Dubaille, la bagarre, tout ça devait être su de pas mal de monde

— Et après ? D'abord, il n'est pas certain que tout le monde ait été au courant. Ensuite... Prenez ce Marcel, de la télé, par exemple. Il savait, lui, que Dubaille avait tabassé Dolguet. Eh bien, quand il a appris la mort du gigolo, il n'a pas envisagé que Dolguet pouvait y être pour quelque chose. S'il n'a pas établi de rapprochement, lui, je ne vois pas pourquoi des flics, ignorants de la tension dans les rapports Dubaille-Dolguet, l'auraient fait.

— Oui, évidemment.

— D'ailleurs, la mort de Dubaille n'a été connue que trois semaines après le vol. A ce moment, il a été admis que le jeune homme, voleur avéré, avait été victime de complices. Et l'équipe TV était rentrée depuis longtemps à Paris. Il n'y a que lorsque les inspecteurs sont allés à l'hôtel où demeuraient les gars de la TV, pour les interroger, par pure routine, qu'un mot aurait pu échapper à l'un quelconque des copains de Dolguet mais, apparemment, ça n'a pas été le cas. Ça me fait penser que notre Dolguet devait quand même l'avoir à zéro. Il n'avait pas pu être en même temps à l'hôtel et auprès de Dubaille, et peut-être que si on l'avait soigneusement cuisiné... Mais, encore une fois, je le répète, la démarche auprès des gars de la TV n'était que de pure routine.

— Et ils n'ont pas cessé d'agir ainsi, sans initiative aucune, fit Hélène. C'est, du moins, l'impression que j'ai retirée de la lecture des journaux de l'époque. Vous vous souvenez de l'affaire de la maharani de je-ne-sais-plus-où, qui s'était fait soulever ses bijoux, elle aussi, mais au détour d'un chemin creux et pour cinq cents millions, celle-là ? Cela se passait en 1956, et dans les canards de 1962 que j'ai consultés cet après-midi, on le rappelait, évidemment, à propos de Mme Alderton.

— Vaguement.

— Ça n'a pas été très fameux pour la police, cette affaire. Il y a eu des imbrications politiques, des ramifications de toute espèce, et, finalement...

— Ce sont les poulets qui ont été les dindons. Ça me revient. Alors, l'affaire Alderton se présentait un peu comme ça ?

— Plus ou moins. A la réception, assistaient trois académiciens et deux anciens ministres.

— Aïe ! Les flics se sont instinctivement méfiés, ont évité de produire des vagues et c'est pour ça que le mystère n'a fait que s'épaissir ?... Ils ne sont quand même pas restés inactifs ?

— Oh ! non. Ils ont d'abord très correctement

établi les circonstances du vol. Elles étaient, d'ailleurs, d'une rare simplicité. Dubaille savait où Mme Alderton rangeait ses bijoux. Il n'a eu qu'à les prendre, ainsi que quelques babioles appartenant aux invités et qui traînaient de-ci de-là.

— Les bijoux de Mme Alderton traînaient aussi ?

— Non. Ils étaient dans un coffre. Mais un coffre très peu solide. Il n'a eu aucun mal à le forcer. Il...

— Un moment. Il a forcé le coffre ?

— Oui.

— Et il couchait avec l'Américaine ?

— Il y a incompatibilité ?

— Peut-être. Il n'avait donc pas accès aux clés du coffre ?

— Faut croire. Mme Alderton lui accordait ses faveurs. Ça n'entraînait pas obligatoirement qu'elle lui confie ses clés. Qu'est-ce que vous êtes en train de chercher ?

— Rien. Continuez.

— Dubaille a fait main basse sur les colifichets et il est parti, avec juste un complet d'été sur le dos. Autour de la villa, qui est isolée, sur le chemin de terre, stationnaient des voitures appartenant aux invités qui dormaient chez Mme Alderton. Parmi elles, celle de Dubaille, mais il ne s'en est pas servi. D'après les enquêteurs, ses complices l'attendaient dans leur propre voiture et c'est à bord de celle-ci qu'ils l'ont conduit à la calanque, éloignée de quelques kilomètres, où l'on devait le retrouver trois semaines plus tard. Pendant ce temps, aux *Quatre Pins,* tout le monde dormait, les uns terrassés par l'ivresse, d'autres, les domestiques notamment, plus ou moins sous l'influence d'une drogue. Dubaille avait distribué un peu de somnifère à droite et à gauche pour pouvoir « travailler » et s'éloigner tranquillement. C'est vers onze heures que certains ont commencé à se réveiller, mais ce n'est que dans l'après-midi que Mme Alderton a alerté la police. Vraisemblablement, elle n'en revenait pas que Dubaille lui ait joué un tour pareil. Elle espérait peut-être encore le voir réapparaître tout repentant. Elle avait retardé tant qu'elle avait pu le moment pénible de se confier à la police, mais enfin il avait bien fallu qu'elle s'y résolve. Après avoir établi les circonstances du vol, les flics ont arrêté, dans les jours qui suivirent, un certain nombre de métèques suspects, tout cela pour se convaincre que les « spécialistes » ne trempaient pas dans l'affaire ou étaient encore plus habiles qu'on ne le supposait. Il a fallu les relâcher. Un coup pour rien. Ensuite, ou plus exactement presque tout de suite, il y a eu l'intervention des flics privés de la compagnie d'assurances. Ceux-ci avaient une méthode, les policiers officiels en avaient une autre. Des frictions se sont produites, leurs efforts se sont contrariés et, finalement, tout s'est terminé en eau de boudin.

— Oui, dis-je, et notre conversation aussi. Heureusement que nous revenons à quelque chose de concret. La compagnie d'assurances. Bien entendu, une prime était offerte à quiconque permettrait de récupérer les bijoux, n'est-ce pas ?

— Soixante millions.

— Ça vaut le coup de se déranger, hein ? Quelle était cette compagnie d'assurances ?

— Une boîte internationale à prédominance américaine. Les journaux que j'ai consultés n'en disaient pas plus long. Son représentant, le flic privé chargé des éventuelles transactions, s'appelait Harding, et attendait de pied ferme tous tuyaux ou dénonciations à l'hôtel *Miramar*.

Je me levai, allai pêcher le *Bottin des départements*

dans le bas d'un meuble et l'ouvris aux pages concernant Cannes.

— Vous ne croyez pas qu'il y poireaute encore, fit Hélène, attentive à mon manège.

— Bien sûr que non. Mais Mme Alderton n'est peut-être pas morte. Du moins, je l'espère.

Je trouvai le numéro d'appel des *Quatre Pins* et le composai sur mon cadran. Au bout d'un moment et du fil, quelqu'un annonça :

— Résidence Alderton. J'écoute.

C'était une voix jeune, fraîche, douce, extrêmement agréable. Trop jeune et et trop fraîche pour appartenir à l'Américaine. D'ailleurs, son soupçon d'accent était nettement méridional. Ce n'était pas non plus une domestique.

— Je désirerais parler à Mme Barbara Alderton, dis-je.

— Mme Alderton est souffrante. C'est à quel sujet et de la part de qui ?

— Mon nom ne vous dira certainement rien. Je m'appelle Nestor Burma.

— Nestor Burma !

La voix changea brusquement, devint presque dure, comme méfiante.

— En fin de compte, il semble que mon nom vous dise quelque chose, remarquai-je sur un ton léger.

La réponse tarda à venir. Enfin :

— Oui, oui, euh... Je lis les journaux et... Vous êtes le détective privé ?

— Lui-même.

— Vous voulez parler à Mme Alderton ?

— Si c'est possible.

— Ça ne l'est pas. Mme Alderton est souffrante et je ne puis me permettre de la déranger. Si vous voulez laisser un message...

— Ma foi! A moins que vous ne puissiez me renseigner vous-même.

— De quoi s'agit-il?

Comme si elle ne s'en doutait pas! Le ton employé la trahissait suffisamment. Ça ne devait pas être la première fois que des flics privés, ou soi-disant, sonnaient à la grille du parc. Je n'étais qu'un autre casse-pieds, simplement un peu tardif.

— C'est au sujet du vol des bijoux dont Mme Alderton a été victime, voilà deux ans.

— Oui, oui. Et alors?

— Vous êtes au courant?

— Oui, oui. Que voulez-vous savoir?

— Le nom de la compagnie d'assurances.

— Le nom de la... Oh! vous avez trouvé quelque chose, monsieur?

— Peut-être. Rien de précis.

— J'espère... je... je voulais dire...

— Que vouliez-vous dire?

— Eh bien... Je lis les journaux, comme je vous l'ai déjà dit, et j'y ai lu votre nom et aussi qu'une de vos clientes, cette speakerine...

— Aucun rapport, aucun rapport. Ne vous effrayez pas. Il n'arrive tout de même pas malheur à tous ceux que j'approche.

Et je ponctuai tous ces mensonges d'un rire de bonne compagnie. Là-bas, à mille kilomètres de la rue des Petits-Champs, je ne sais comment on les prit. On observa un silence, et puis, enfin:

— Vous désireriez connaître le nom de la compagnie d'assurances, c'est cela?

— S'il vous plaît.

— Je vais vous le chercher...

Un peu brutalement, me sembla-t-il, le combiné fut abandonné sur une table. Ça fit boum. J'attendis. Un instant, une voix de rogomme se brancha sur la ligne, puis s'engloutit progressivement dans le néant, avec un bruit de vase brassée.

— Allô, fit enfin la voix d'or, d'or imperceptiblement terni.

— Allô.

— Smith-Continental, monsieur. Ils ont des bureaux, 35 rue Taitbout.

— Merci. Je vais entrer en rapport avec eux. Je vous tiendrai au courant.

— Oui, monsieur...

Elle raccrocha. J'en fis autant.

— Smith-Continental, 35 rue Taitbout, dis-je en saisissant l'annuaire de Paris.

— Vous voulez leur demander si la prime tient toujours ! fit Hélène.

— Et si, avec le temps, elle n'a pas pris de l'embonpoint.

— Vous avez vu l'heure ? Il est peut-être un peu tard pour leur téléphoner.

— Oui, dis-je, en levant la tête de sur l'annuaire. D'autant que Smith-Continental n'existe pas. Cette charmante demoiselle m'a raconté des craques.

A ce moment, la sonnerie du téléphone retentit. Je décrochai. Encore une voix jeune et claironnante.

— Allô ? M'sieu Burma ? Bonjour. Ici, Jacques Mortier.

— Jacques Mortier ?

— De la télé. Le copain que vous a recommandé Lucot. On a déjà bavardé ensemble. Vous m'aviez demandé des tuyaux sur Paul Roudier et Henri Dolguet.

— Ah ! oui. Excusez-moi, j'étais un peu dans le cirage.

— Y a pas de mal. Nous sommes lundi. C'est normal. Bon. J'ai les tuyaux. Je peux vous parler de Roudier et de Dolguet en long et en large.

Maintenant, sur Dolguet, il ne m'en apprendrait jamais plus que j'en savais, mais c'était un gars trop serviable pour lui faire sentir qu'il s'était décarcassé pour la peau.

— Allez-y !

Il y alla. Ça dura un quart d'heure. Comme prévu, je n'en fus pas plus gras à la fin qu'au début.

— C'est égal ! dit Hélène lorsque j'en eus terminé avec ce Mortier. A quoi ça rime ?

— Quoi donc ?

— Le comportement de cette fille des *Quatre Pins*. Pourquoi a-t-elle menti ?

— Est-ce que je sais ?

Elle désigna l'appareil.

— Vous allez la relancer ?

— Pourquoi ? (Je haussai les épaules.) Le téléphone, c'est bien pratique, mais ça ne remplace pas un sérieux entretien entre quatre z'yeux. Or c'est ce qu'il faudrait. Pour le moment, laissons choir. Ça s'expliquera un jour. En attendant, allons casser la croûte.

Nous allâmes manger et puis je rentrai me pagnoter bien sagement.

A onze heures, le téléphone grésilla. La sonnerie avait quelque chose de menaçant. Ce sont des impressions que l'on ressent parfois, comme ça. En général, c'est totalement dépourvu de signification. En général. Pas toujours. Je décrochai.

— Nestor Burma ? demanda une voix râpeuse, susceptible d'esquinter les fils dans lesquels elle courait.

— Lui-même.

Un gros mot me parvint.

— Dites donc, protestai-je, vous n'êtes pas très poli, mon pote !... Oh !... (Brusquement, je compris à qui j'avais affaire. Je ricanai.) ... T'en baves, hein ?

de me retrouver si pimpant ! Eh bien ! tu vois, ton expérience téléphonique est concluante ! Je suis toujours là. Tu t'es gouré de cible, gros malin.

— Quoi ?

— Voui. La prochaine fois, sois moins rapide. Assure-toi de l'identité du mec, avant de le descendre. Celui que tu as pris pour moi, l'autre nuit, les flics travaillent dessus, à présent. Le macchab découvert près de l'étang de Saclay. Mais tu ne lis peut-être pas les canards.

— Quoi ? répéta-t-il.

— Oui, oui. Je lui ai fait prendre un petit peu l'air. Il se sentait à l'étroit, dans mon vestibule.

— Quoi ?

Mes révélations l'estomaquaient. Ce n'était quand même pas une raison pour bonnir des « quoi quoi » sans arrêt. En silence, j'attendis qu'il usât d'un vocabulaire plus étendu. Rien ne vint dans ce sens. Mais je perçus bientôt un vague brouhaha qui pouvait être produit par des rats en train de grignoter la ligne ; et puis, comme une discussion animée, mais pour comprendre un traître mot, c'était midi ; enfin, un bruit sec, très sec, qu'un optimiste aurait attribué au claquement d'un élastique ou à la fermeture brutale d'une porte. Je n'étais pas cet optimiste. Une mouche printanière, hirondelle du pauvre, prisonnière de ma chambre, se heurtait à l'abat-jour de la lampe de chevet, faisant retentir la pièce de son bourdonnement rageur. Pour varier les plaisirs, elle vint se poser sur ma main. Ma main qui tenait toujours le combiné collé à mon oreille. Je ne bougeai pas. Je respirais doucement.

— Nom de Dieu ! éructa quelqu'un qui venait tout juste de s'apercevoir que le bigorneau était resté en service.

Le même zigue, aussi sec, lança dans l'appareil un

« allô » tentateur et amorçatoire. Je fis le mort, *moi aussi*. Encore un petit « allô » pour la bonne règle et on raccrocha.

Je raccrochai également.

CHAPITRE VIII

ANGELA CHARPENTIER

Elle s'introduisit dans le décor le lendemain mardi, vers quinze heures. Elle s'appelait Angela Charpentier et avait vingt-deux ans. De taille moyenne, bien proportionnée, elle portait un seyant ensemble en chantoung corail, avec sac et escarpins assortis. Ses cheveux châtains, relativement longs, encadraient un ravissant visage bronzé, aux pommettes hautes, barré d'une très attirante bouche à la Bella Darvi. Ses yeux pailletés d'or semblaient avoir contemplé déjà beaucoup de choses, pour leur âge. C'était la seule ombre au tableau.

***

J'avais eu une matinée plutôt chargée. Lorque je m'étais réveillé, ma première pensée avait été pour Jacques Mortier, le bureau de renseignements incarné. J'avais réussi à le joindre autrement que par téléphone et nous nous étions penchés tous deux, kif-kif des syndicalistes, sur les émoluments comparés des vedettes dramatiques et des speakerines. Il y avait une chose de bien, avec ce Mortier. Il était bavard, mais discret. Il vous faisait bénéficier de sa science, sans s'inquiéter de l'usage auquel vous la destiniez. Et sans marquer aucun étonnement.

Après avoir obtenu ce que je voulais, je l'avais quitté et étais monté aux studios des Buttes. Les flics les hantaient toujours, continuant à passer tout le monde au crible, mais sans résultat appréciable. Le tableau de service, consulté, m'avait appris que les répétitions de la « dramatique » de Lucot étaient provisoirement suspendues.

Des Buttes, je m'étais dirigé vers la rue du Dobropol, où demeurait Olga Maîtrejean, l'un des premiers rôles de cette « dramatique ». Depuis le samedi précédent, j'avais quelques questions à lui poser, mais, jusqu'à présent, les événements m'en avaient empêché. J'avais fait chou blanc. L'actrice, partie pour le week-end, semblait vouloir le prolonger.

J'étais alors allé à l'autre extrémité de Paris, rue d'Alésia. Visage de bois également. Mme Dolguet, suivant mes conseils, avait déserté son domicile. Pour où ? La concierge l'ignorait, mais sa locataire écrirait certainement pour qu'on lui fasse suivre son courrier et si je voulais laisser un mot... J'avais laissé un mot demandant à Mme Dolguet de se mettre en rapport avec moi le plus rapidement possible ; j'avais encore à lui parler de son ex et défunt mari.

Là-dessus, j'avais pris connaissance des premières éditions des canards du soir. Le mort de Saclay gardait son secret et les recherches le concernant leur mystère. Aucun autre cadavre suspect — je pensais au meurtre de cette nuit, celui qui avait eu lieu, sinon sous mes yeux, en tout cas à mes oreilles — aucun autre cadavre suspect, donc, n'avait non plus été découvert au cours des dernières heures écoulées. Toutes ces démarches m'avaient pris du temps. Il était celui de déjeuner.

Sustenté, j'étais rentré rue des Petits-Champs à deux heures et quelques. Et, vers trois heures, alors que j'étais seul au bureau, Hélène ayant profité de ce que je n'avais pas l'intention d'en bouger pour aller faire une course, la sonnette de la porte avait retenti et j'étais allé ouvrir à l'adorable créature que j'ai dit.

**
**

— Bonjour, monsieur. Vous êtes monsieur Nestor Burma ? demanda-t-elle, avec un regard appuyé de ses yeux noisette aux reflets d'or.

— Lui-même, répondis-je un peu soufflé, car j'avais reconnu la voix.

— Enchantée. Je suis Angela Charpentier. C'est moi que vous avez eue, hier, au téléphone.

Elle sourit et me tendit avec aisance une fine main gantée que je serrai machinalement.

— Entrez, dis-je. (Je l'escortai dans le saint des saints.) Asseyez-vous, mademoiselle.

Elle déposa son sac sur l'angle du bureau, prit place dans le fauteuil que je lui désignais, et croisa les jambes. Elles allaient avec le reste. La nature fait quand même bien les choses. Les bas nylon ne sont pas non plus une invention négligeable.

— Je crois plutôt que c'est vous, dis-je.

— Moi, quoi ?

— Qui m'avez eu. Vous vous nommez, dites-vous, Angela Charpentier. Moi, je vous appelais la petite menteuse.

— Ah ! je vois, fit-elle en riant. Smith-Continental, n'est-ce pas ? Vous avez découvert que ça n'existait pas, évidemment. Je vous présente toutes mes excuses, mais c'est le seul expédient que j'aie trouvé pour gagner du temps.

— Gagner du temps ?

— Je vais vous expliquer. D'ailleurs, je ne suis là que pour ça. Pourquoi croyez-vous que j'ai sauté ce matin, à Nice, dès huit heures et quelques, dans un avion ? Je suis arrivée à Orly il y a quelques heures à peine...

Son ton était celui de la conversation mondaine.

— ...Je n'ai pris que le temps de m'arranger un peu et me voilà. Je tenais énormément à vous rencontrer, monsieur. C'est au sujet de Mᵐᵉ Alderton. C'est une très brave femme et je ne tiens pas à ce qu'elle ait encore des ennuis. Et c'est pour cela que je suis ici. Mais finissons-en d'abord avec les mensonges. Je vous ai menti, avec mon Smith-Continental, mais vous aussi...

Elle sourit.

— ... Vous m'avez menti, monsieur. Oh! vous avez eu beau dire, j'ai compris qu'il existait un rapport entre ce que vous pouviez avoir découvert concernant les bijoux volés et la mort de cette speakerine qui avait fait appel à vous à la suite de menaces reçues. Tenez! lisez ce qu'écrivait l'*Echo des Alpes-Maritimes,* pas plus tard qu'hier matin.

Elle ouvrit son sac, en tira un canard dont elle déploya les ailes et me mit un certain article sous le pif. Sous le titre : *Le drame des Buttes-Chaumont,* un journaliste anonyme, après avoir relaté les faits (visiblement pas pour la première fois), ajoutait :

... On s'était interrogé sur la présence, aux studios, du détective privé Nestor Burma. Il semble acquis que Mˡˡᵉ Pellerin avait reçu des menaces de mort et engagé M. Burma à toutes fins utiles. La mort de la speakerine ne serait donc pas due à un suicide, comme le bruit en avait couru tout d'abord. L'enquête réservera probablement des surprises.

Sans commentaires, je restituai le journal à Angela Charpentier qui reprit :

— J'avais lu cet article dans la journée. Je l'avais plus ou moins présent à l'esprit quand vous avez téléphoné, hier soir. Lorsque vous vous êtes nommé, j'ai pensé tout de suite que votre appel avait trait aux bijoux. J'ai pensé aussi à cette femme dont parlait le journal, cette speakerine qui était morte. Assassinée, si je sais lire. Je me suis affolée à l'idée qu'il pouvait exister un lien entre les deux choses, parce que Mme Alderton a déjà été bien éprouvée — elle est très souffrante, actuellement — et il est de mon devoir de lui éviter des émotions qui pourraient lui être fatales. Aussi, lorsque vous m'avez demandé le nom de la compagnie d'assurances, je vous ai donné le premier qui m'est passé par la tête. C'était pour gagner du temps, me permettre de vous joindre, d'arriver avant que vous ayez rien entrepris. Le téléphone se prêtait mal à la conversation que je voulais avoir avec vous. Et, de toute façon... il fallait que je vous voie...

Elle me regarda droit dans les yeux.

— ...Il fallait que je me rende compte si vous étiez accessible à quelque sentiment humain ou une brute comme il y en a tant.

— Bigre ! Et le verdict ?

— Le voici, dit-elle, avec son plus charmant sourire. (Elle me tendit une enveloppe fatiguée. Vide, libellée au nom de Mrs. Alderton, son en-tête portait : *Protection Reliance Inc., rue de la Victoire, 96, Paris-IXe, ANTin 87-49.)* ... *Protection Reliance.* C'est le vrai nom de « Smith-Continental ». Je ne vous communiquerais pas ce renseignement si je n'avais pas confiance en vous.

— Vous savez, j'aurais peut-être pu me le procurer sans votre aide.

— Certes. Mais cela vous aurait pris du temps. Quoi qu'il en soit, dans mon esprit, c'est une marque de confiance de ma part.

— Ce qui signifie que vous me croyez accessible à quelque sentiment humain ?

— Oui.

— Tant mieux ! Et maintenant, qu'est-ce que c'était que cette conversation que vous vouliez avoir avec moi et qu'il aurait été difficile de tenir par téléphone ?

— Eh bien ! voilà ! Comme je vous l'ai déjà dit, Mme Alderton a été très éprouvée par ce vol et le bruit fait autour. Actuellement, elle est malade et elle ne supporterait pas une autre publicité intempestive...

— C'est une nerveuse ?

— Oh ! non. Il n'y a pas au monde quelqu'un de plus équilibré. Mais, je vous dis, en ce moment elle est assez gravement malade, aussi...

Aussi, me demandait-elle comme une grâce, lorsque j'aurais retrouvé les bijoux, d'agir, en accord avec la *Reliance,* avec le plus de discrétion possible, sans, si faire se pouvait, y mêler la presse et la police. Le plus beau, c'est qu'elle s'imaginait que je les avais déjà sous la main, les fameux bijoux. Il me fallut la détromper. Je la détrompai également en ce qui concernait un possible lien entre la mort de la speakerine et ces bijoux, car je voyais que ce point la tracassait. Enfin, je la rassurai complètement. Je ne tenais qu'un très fragile début de piste, mais si j'arrivais à un résultat positif, seule la *Reliance* serait informée. On tâcherait que tout se passe sans bruit excessif. Ça allait comme ça ?

— Oh ! merci, fit-elle avec élan. Vous ne pouvez pas vous imaginer combien je suis contente de savoir que la tranquillité de Mme Alderton ne sera pas troublée.

— Vous paraissez lui témoigner beaucoup d'affection. Vous lui êtes quoi ?

— Sa dame de compagnie.

— Vous êtes bien jeune, pour cet emploi.

— J'ai vingt-deux ans et... Oh! ça va!...

Je fus surpris de la sonorité vulgaire que ces deux mots eurent dans sa bouche.

— Ça va, poursuivit-elle. Pourquoi ne pas tout vous dire? Je suis presque sa dame de compagnie et presque sa fille adoptive. Mme Alderton est la crème des femmes. Elle m'a ramassée... comment dit-on?... dans le ruisseau, n'est-ce pas? Ça fait mélo, cette expression, mais elle dit bien ce qu'elle veut dire...

La vulgarité sous-jacente devint amertume.

— ... J'avais dix-huit ans. Sans Mme Alderton, je ne sais pas ce que je serais devenue, ou plutôt je ne le sais que trop. Ça aussi, c'est un cliché, hein? Mme Alderton m'a recueillie, fait de moi ce que je suis maintenant. Je ne l'oublierai jamais. Il ne faudrait pas s'aviser de lui vouloir faire du mal...

Je le croyais sans peine. Par moments, elle avait tout de la panthère. Ça l'embellissait encore. J'ai le chic, moi, pour tomber sur des numéros pareils. Brusquement, elle éclata de rire.

— Oh! vous voyez comme je suis? J'ai l'air de vous menacer. Excusez-moi... (Ses yeux noisette redevinrent doux.) ... Je m'emballe pour rien.

— Vous êtes tout excusée, dis-je. Et personne ne songe à nuire à Mme Alderton. Vous étiez aux *Quatre Pins*, à l'époque du vol?

— Oui.

— Vous avez connu Dubaille, alors?

— Oui.

— C'était quel genre de type?

— Un très chic type.

— Un très chic type? Il s'est tout de même tiré avec les bijoux de sa... de sa bienfaitrice.

— Ah ! oui, bien sûr... (Elle se mordit les lèvres.)
... Ce n'est pas ce que je voulais dire. Un chic type.
J'entendais par-là qu'il était très séduisant, gentil,
agréable à vivre. Evidemment, il a volé les bijoux. Je
vous garantis que ç'a été une surprise !

Docilement, elle me fournit d'autres détails sur
Dubaille et les circonstances du vol, mais ça ne
m'apprit rien de nouveau. En retour, elle se montra
curieuse de savoir quelle sorte de piste j'avais découverte. Je lui répondis que, pour le moment, il était
prématuré de se laisser aller à des confidences.

— Bien, dit-elle enjouée. Je ne veux pas vous
arracher vos petits secrets. J'ai confiance, ajouta-
t-elle. Je ne sais pas pourquoi, mais je sens que vous
réussirez. (Elle consulta sa montre.) Il est temps que
je parte. Il faut que je rentre et que je téléphone à
Cannes pour avoir des nouvelles de Mme Alderton.
Elle ignore la véritable raison de mon voyage à Paris,
bien entendu. J'ai eu recours à un mensonge... (Ça la
fit sourire. Elle se leva. Je me levai aussi.) ...
Enchantée de vous avoir rencontré, monsieur
Burma. Et merci pour vos promesses. Je vais sans
doute rester quelques jours à Paris. Si vous avez
besoin de moi, n'hésitez pas. Et puis, tenez-moi au
courant, de votre côté, aussi. Vous serez gentil.

— Je n'y manquerai pas. A quel hôtel êtes-vous
descendue ?

— A aucun. Je demeure 4 *bis*, rue de l'Alboni.
C'est l'appartement parisien de Mme Alderton.
Allons, au revoir. Je suis certaine que vous réussirez,
répéta-t-elle. J'espère que Mme Alderton va bientôt
se rétablir et qu'elle pourra supporter la joie que
vous lui apporterez.

— Hum... vous savez, j'ai l'impression que vous
vendez la peau de l'ours. Je peux échouer. Toutefois,
admettons le contraire. Les bijoux appartiennent

désormais à la *Reliance*. Je ne vois pas quelle joie cela procurera à Mme Alderton.

— Ah! oui?... (Manifestement, elle n'avait pas envisagé cet aspect de la question.) ... Oui, bien sûr! mais ça lui sera quand même une joie, j'en suis persuadée.

A ce moment, Hélène s'annonça. Je fis les présentations. « Mlle Charpentier, notre petite menteuse d'hier soir. » La formule fit pouffer l'intéressée et sourire ma collaboratrice. Nous échangeâmes quelques propos tout-venant et la protégée de Mme Alderton, après nous avoir rappelé son adresse, s'en alla. J'expliquai alors à Hélène les raisons du mensonge et le but de la visite de la jeune fille. Nous assaisonnâmes de commentaires variés, en suite de quoi, je m'enfermai dans mon burlingue.

J'appelai la *Reliance* pour me faire confirmer que la prime tenait toujours, puis je pensai à Dolguet. Où diable avait-il bien pu planquer les brimborions de l'Amerloque? Pour résoudre ce problème, nul besoin de vadrouiller et de risquer encore un mauvais coup. Du moins pour le moment. Il suffisait de se creuser le ciboulot, assis dans un fauteuil. Je creusai jusqu'à dix-huit heures, sans résultat. De par sa profession, ce Dolguet voyageait tellement qu'il avait pu aussi bien enterrer le magot au pied de N.-D. de la Garde que dans la propriété d'une vedette de cinéma, voire le coffre d'une banque de province. Il allait peut-être falloir avoir encore recours à l'obligeant Jacques Mortier, et se procurer la liste des déplacements de Dolguet depuis mai 1962. Avec un peu de pot, d'ici deux ou trois ans, je pouvais tomber sur un indice.

J'en étais à ce stade de découragement lorsque le téléphone sonna. C'était le mécano à qui j'avais confié le soin de rafistoler ma bagnole. Elle était prête ; si je voulais passer la prendre...

Sur le chemin du garage, j'achetai le *Crépu*. On avait enfin identifié le mec de Saclay. Il s'appelait Frédéric Jean (Jean étant son nom de famille). C'était un cheval de retour, récemment évadé de la prison Saint-Paul, à Lyon. Il ne m'avait donc pas menti.

Dès que j'eus récupéré ma tire, je me sentis étrangement désœuvré. Pendant quelques minutes, je roulai au hasard. Puis, comme ça, je pris la direction de la rue de l'Alboni.

*
* *

— Ah ! c'est vous ! s'exclama Angela, mi-surprise mi-ravie, en réponse à mon coup de sonnette. (Elle portait des mules à hauts talons et une robe de chambre sous laquelle, à part ses bas nylon, elle ne devait pas avoir grand-chose.) Hou ! le vilain détective ! ajouta-t-elle, en riant franchement. Entrez.

Je la suivis dans un salon aux meubles recouverts de housses, sauf deux ou trois récemment remis en service. Par la haute fenêtre, on apercevait les superstructures du viaduc du métro Passy distant de quelques mètres à peine. Une rame passa en grondant.

— J'espère que vous n'avez pas agité votre gros revolver sous le nez du concierge ? dit Angela, lorsque le métro le lui permit.

Elle s'assit et me désigna un fauteuil. Je m'y installai.

— Rassurez-vous. Je lui ai seulement demandé à quel étage demeurait Mme Alderton et s'il y avait quelqu'un. Il m'a répondu que c'était au second et qu'il y avait la jeune demoiselle, arrivée de Cannes aujourd'hui même.

— Et ça ne vous a pas convaincu que je ne vous avais pas donné une fausse adresse, entre autres soupçons. Il a fallu que vous montiez vous rendre compte. Mais vous êtes un véritable détective de roman !

Tout ça sur le ton plaisant.

— Ah ! voilà la signification de : « Hou ! le vilain détective », hein ? Vous croyez que je suis en train de vérifier vos dires ?

— Ce n'est pas ça ?

— Pas du tout. J'ai pensé que vous pouviez être désœuvré. Je venais vous inviter à dîner. Ensuite, nous pourrions assister à un spectacle quelconque. Vous ne vous sentez pas un peu seule ?

— Si. Un peu. Euh... Eh bien, j'accepte. Si votre invitation n'était pas sincère, ne vous en prenez qu'à vous de la corvée. Voulez-vous boire un apéritif pendant que je vais m'habiller ? Cet appartement n'est habité qu'un mois par an, en mettant les choses au mieux, mais la cave est bien garnie.

Elle m'apporta de quoi patienter et partit se refourrer dans son ensemble de chantoung.

Minuit sonnait lorsque je la raccompagnai rue de l'Alboni.

— J'ai passé une excellente soirée, dit-elle avant de descendre de la voiture. Je vous remercie. Ça m'a changé un peu les idées. Vous montez boire le dernier verre ?

— Non, dis-je. Vous êtes bien aimable, mais ce sera pour une autre fois.

— Comme vous voudrez.

Elle égrena un rire moqueur qui me cingla comme une gifle. Elle ouvrit la portière et, pour sortir, se tortilla tant et tant qu'elle avait l'air de n'être qu'une paire de jambes.

— Bonne nuit, dit-elle, sur un ton qui me déplut. (Il s'accordait trop au rire de tout à l'heure.)

Elle me tendit la main. Je la pris et ne la lâchai pas. Je descendis de voiture à mon tour.

— Je monte boire ce verre, dis-je.

Sous mes doigts, je sentis les siens se raidir. Nous ne prononçâmes pas un mot jusqu'à ce que nous soyons dans le salon aux housses. Et même là, ce ne fut pas tout de suite qu'elle se décida à l'ouvrir. Enfin, lorsqu'elle me tendit un verre, elle interrogea, avec une mine de chien battu :

— Qu'est-ce qu'il y a ? Vous paraissez fâché. J'ai dit quelque chose...

— Rien. N'en parlons plus... (Je pris le verre.) ... Vous ne buvez pas ?

— Non. Je suis déjà assez ivre comme cela.

— Ah ! oui ?

Je bus.

— Je suis navrée, insista-t-elle, d'un ton sincère.

— Pourquoi donc ? Parlons d'autre chose.

Elle essaya. Ce fut minable. Elle s'était assise devant moi, à bonne distance, et s'évertuait à me cacher ses jambes, à présent, mais cette sacrée jupe était vraiment trop courte et étroite, et n'en faisait qu'à sa tête. Pendant un long moment, je jouis de son embarras. Elle m'avait provoqué et maintenant elle redoutait ce qui pourrait suivre.

Enfin, je me levai.

— J'ai trois cents millions de bijoux volés à retrouver, dis-je, d'un ton neutre, exactement comme si je m'adressais à une pelle à poussière. Si je veux être en pleine forme, il me faut aller prendre un peu de repos.

Elle m'accompagna jusqu'à la porte. Arrivé là, en vrai traître, je la pris entre mes bras, l'attirai à moi et approchai mes lèvres des siennes. Avec un sourd gémissement, elle détourna la tête et je n'eus droit qu'à son oreille et à ses cheveux parfumés qui me chatouillèrent le nez.

— Non, balbutia-t-elle. Non. Ce ne serait pas honnête.

Elle tremblait comme une feuille, et sa respiration saccadée se fit sifflante. Il me sembla entendre battre son cœur, mais c'était peut-être le sourd roulement d'un des derniers métros qui traversait la Seine au pont de Bir-Hakeim. Je la lâchai. Elle baissa la tête, mais j'eus le temps de lire dans ses yeux un désarroi immense. Je passai la main sous la lourde chevelure et lui caressai la nuque.

— Bonsoir, dis-je.

— Bonsoir, chuchota-t-elle.

Le miel n'était pas plus doux

Je rentrai chez moi.

***

A sept heures du matin, je dormais comme un bienheureux et je rêvais très agréablement lorsqu'un coup de sonnette me jeta à bas du lit. Je m'en fus ouvrir. Ils étaient deux, selon la tradition. L'inspecteur Fabre arborait la physionomie empoisonnée du gars désigné de corvée. Son compagnon, que je voyais pour la première fois, riboulait férocement des calots. Ignorant son nom, je le baptisai Bouffe-tout-cru, *illico* et *in petto*. Dans l'ensemble, la paire ne me disait rien qui vaille.

— Salut, lança Fabre On peut entrer ?

Et il était presque déjà dedans. Le temps semblait être à l'orage.

— Je vous en prie, répliquai-je. Vous ne me dérangez pas. Brigitte Bardot vient juste de partir...

— Ah! là là!grogna Bouffe-tout-cru, d'un accent profondément dégoûté.

— ... Chassée par votre coup de sonnette, d'ailleurs, mais je ne vous en veux pas. Entrez donc.

Ils pénétrèrent plus avant.

— Vous devriez vous habiller et nous suivre, dit Fabre. Le commissaire Faroux désire vous parler.

— Ah! Il est de retour! Il était en province, je crois?

— Vous devriez vous habiller, répéta Fabre, négligeant ma question.

Je m'habillai. Bouffe-tout-cru exhiba une paire de menottes.

— Rengainez-moi ce bazar, gronda Fabre.

— Mais...

— Y a pas de mais.

— J' comprends pas, gémit Bouffe-tout-cru. Régulièrement, il y a droit. Il a tout de même buté un type, non?

CHAPITRE IX

LA NUIT DE CHATILLON

— Alors ? dis-je au commissaire Faroux, lorsque, après avoir séché trois bonnes heures dans un couloir de la P.J., je comparus enfin devant lui. Alors, comme ça, paraît que j'ai tué quelqu'un ?

— Je vous ai fait venir pour en discuter, répondit-il. Vous vous souvenez de Mairingaud, n'est-ce pas ? Quand vous l'avez repéré, dans ce bistrot des Halles, vous étiez ivre et lui aussi. Vous avez tous deux éprouvé le besoin de sortir vos eurékas et de vous canarder au risque de blesser quelqu'un. Police secours a rappliqué et embarqué tout ce qui était embarquable : individus et armes. On vous l'a restitué ensuite, votre revolver, mais pendant le temps que nous l'avions eu entre les mains, le service de la balistique l'avait « fiché ». Nous connaissions désormais ses caractéristiques... Alors, voilà... (Il me tendit des photos. Elles représentaient le visage de mon malchanceux visiteur nocturne et avaient été prises à la morgue, vraisemblablement.) ... Vous connaissez ce type ?

— Non. Qui est-ce ?

— Un nommé Frédéric Jean...

— Je connais un Jean, mais il se prénomme Marcel. C'est un peintre surréaliste.

— Le Jean dont je vous parle serait plutôt un sous-réaliste, dit Faroux Il a été ramassé dimanche dernier sur les bords de l'étang de Saclay, lesté de trois balles de revolver. C'est le parquet de Versailles qui s'occupe de l'affaire, mais il a envoyé des commissions rogatoires un peu partout, et comme nous avions ici des tuyaux sur le revolver incriminé...

— Incriminé ?

— Ne faites pas l'idiot. Vous avez déjà compris que l'examen des pruneaux retirés du corps de ce type ne laisse aucun doute sur leur origine. Ils proviennent du pétard dont vous avez usé contre Mairingaud. Ce n'est pas celui que vous trimbalez actuellement, ajouta-t-il, en prenant dans un tiroir et le déposant sur la table le pistolet de remplacement que Bouffe-tout-cru et Fabre avaient saisi chez moi avant de m'emmener quai des Orfèvres. Ce n'est pas celui-là. C'est un autre. Un Smith et Wesson .32. Où est-il ?

— Vous allez rigoler, dis-je. On me l'a fauché. Mais oui, rappelez-vous : les copains de Mairingaud, justement, ceux qui m'ont rendu visite et nous ont matraqués, vous et moi. Poussés sans doute par la force de l'habitude, ces malfrats ont ouvert quelques tiroirs, chez moi, et le grand gaillard que j'appelle Tout-du-Gangster a trouvé le pétard en question et se l'est approprié. Je ne vous l'avais pas dit ?

— Je ne m'en souviens pas.

— Le plus beau, c'est que je ne sais plus moi-même si je vous l'ai dit ou non. Nous étions un peu secoués, n'est-ce pas ? Mais, enfin, il faut me croire. Voyons ! si j'avais voulu tuer quelqu'un, je ne me serais pas servi de cette arme ! Je savais que la police l'avait eue en sa possession. Je devais bien me douter qu'elle était « fichée »

Une discussion s'engagea et, finalement, le commissaire parut se rendre à mes arguments.

— Bon, dit-il. Dans ces conditions, le type qui vous a fauché le revolver serait l'assassin de Frédéric Jean. Cela me rappelle qu'au lendemain de notre matraquage par ces acrobates, je vous avais suggéré de passer ici pour y consulter l'album de famille — branche Mairingaud et Cie — des fois que vous reconnaissiez nos agresseurs. Votre brusque entrée en clinique ne l'a pas permis. On pourrait peut-être liquider ça maintenant.

Il empoigna le téléphone, obtint l'identité judiciaire et transmit ses instructions. Après quoi, nous grimpâmes là-haut examiner des fiches, extraites de l'album des récidivistes, le D.K.V., comme ils appellent ça, au 36. Je passai pas loin de deux heures en compagnie de toute sorte de fripouilles en effigie, mais aucune ne ressemblait à Tout-du-Gangster ou son compagnon. Ça n'avait rien d'étonnant. On me montrait des copains de Mairingaud ou des copains de ses copains, et mes visiteurs contondants n'en avaient jamais été. Je redescendis auprès de Faroux qui était retourné dans son bureau.

— Rien, dis-je.

— Je n'espérais pas de miracle, fit-il. Après tout, nous ne connaissons pas tous les copains de Mairingaud.

— Frédéric Jean en était un ?

— Certainement pas. Mairingaud et consorts sont des truands d'une certaine classe. Celui-là, je ne connais pas entièrement son dossier, mais il ressort du peu que j'en sais que c'était une pauvre cloche. Il y a deux ans, il vivait dans le Midi, d'où il est originaire. Un petit barbotage par-ci, par-là, sans doute. Il entreprend de voyager. Il arrive à Lyon, je ne sais comment, mais sans fric. Pour s'en procurer, il pique le tiroir-caisse d'une épicerie, mais se fait faire à dix mètres de la boutique. Vol simple, mais antécédents fâcheux. Résultat : deux ans, qu'il purgeait à Lyon. Pas un gars verni, comme vous voyez.

— Non, en effet, dis-je. (« Et la malchance l'a poursuivi jusqu'au bout », pensai-je.)

— En outre, c'était un con. Il a trouvé mariole de s'évader à deux ou trois mois de la levée d'écrou. Vous vous rendez compte ?

— Il était peut-être pressé de se faire descendre.

— Peut-être. Le fait est qu'il y a deux ans, il essayait certainement de monter à Paris.

— Eh bien ! il y est, maintenant !

— Oui.

— Bon. Et à part ça, qu'est-ce que je fais, moi, à présent ?

— Rien, autant que possible. Reprenez votre artillerie et rentrez chez vous.

Je récupérai mon soufflant.

— Je suis bien aise que vous n'ayez pas continué à me croire coupable.

— Vos explications m'ont satisfait. Espérons qu'elles satisferont également le juge de Versailles. A propos, il voudra certainement vous entendre...

— Je suis à sa disposition. Souhaitons qu'il ne soit pas tombé sur la cafetière et qu'il ne s'imagine pas trop de choses. Puisque nous parlons de tête... comment va la vôtre ?

— Ça va. Je me suis soigné.

— En province. J'ai appris cela. Loin des regards indiscrets et des allusions confraternelles sur la solidité du crâne des officiers supérieurs de police... Et l'enquête Pellerin ?

— Nous continuons à empoisonner le personnel de la rue Carducci avec nos interrogatoires et vérifications. Mais c'est une vraie ville, ces studios. Et là-

dedans tout le monde va et vient, court, s'agite
Impossible de savoir qui cette fille a vu ou pas vu,
après que vous l'ayez laissée. Mais nous trouverons !

Sur cette affirmation, je quittai la Tour Pointue. Il
était plus de midi. Je déjeunai au Quartier latin, et , à
deux heures j'étais au bureau lorsque Hélène s'annonça. Je la mis au courant des derniers événements.

— Alors, s'exclama-t-elle, c'est Tout-du-Gangster
qui a tué ce Frédéric Jean ?

— Certainement. Il a voulu m'avoir, samedi,
après notre séance campagnarde, et il a trouvé l'autre
pas-verni dans la trajectoire. J'ajouterai qu'il s'agissait là, vraisemblablement, d'une initiative personnelle qui n'a pas été du goût de ses copains, lesquels,
lorsqu'ils ont appris la chose, par l'intéressé lui-
même qui m'a téléphoné, inquiet de savoir ce que je
devenais, lui ont fait subir le même sort. Ça ne devait
pas être un gars très malin et, après un coup pareil,
autant le liquider, pour qu'il ne recommence pas.

— Et Frédéric Jean, qu'est-ce que vous en
pensez ?

— Il vivait dans le Midi à l'époque où Dolguet y
était, c'est-à-dire quand on a volé les bijoux Aldertin.
Il a prononcé le nom de Dubaille devant moi. A mon
avis, il connaissait Dolguet, Roger l'Affreux,
Dubaille et tout le bazar. Dolguet et Roger sont
montés à Paris, le laissant sur la Côte. Il tentait de les
rejoindre, lorsqu'il s'est fait arrêter. Et l'autre jour,
de nouveau sans un radis et fugitif, il est venu me
trouver pour essayer de me vendre certainement la
mèche un bon prix. Je peux dire qu'il m'a rendu un
fier service.

— C'est égal ! cette histoire de revolver... Heureusement que Faroux vous connaît !

— Oui, et ça a son bon et son mauvais côté. Il veut
bien croire que ce n'est pas moi l'assassin de Jean,

mais tous ces bizarres concours de circonstances lui donnent quand même à penser. D'ici qu'il me place sous surveillance, il n'y a pas des kilomètres. Je sens qu'à partir d'aujourd'hui je vais être entravé dans mes mouvements. Enfin, je m'en accommoderai. Je n'ai plus à m'agiter beaucoup, maintenant.

— Vous abandonnez ?

— Pas du tout, mais que voulez-vous que je fasse ? Que je loue une bêche et que j'aille pratiquer des fouilles aux Buttes-Chaumont, au bois de Boulogne ou tous autres endroits susceptibles de constituer une bonne cachette utilisée par Dolguet pour planquer le magot ? Non. Ce qu'il me faut faire, à présent, c'est m'asseoir, la pipe au bec, et réfléchir...

*
* *

Je m'enfermai dans mon bureau et entrepris de réfléchir, comme annoncé aux populations. J'essayai, du moins. Pour me stimuler l'intellect, je sortis même la photo de Dolguet de mon portefeuille et l'examinai. Avec son gileton fantoche, une breloque pendant hors du gousset, le bellâtre, content de lui, avait l'air de me narguer, là-dessus. Je rangeai la photo bien vite. Tout ça, c'était du vent. Tant que je n'aurais pas eu une nouvelle conversation avec l'ex-épouse du personnage, il ne fallait pas compter avancer beaucoup. Et même ensuite, d'ailleurs, rien ne garantissait que ça irait mieux. Optimiste en diable, je me levai et m'en fus à la fenêtre jeter un coup d'œil dans la rue des Petits-Champs. L'idée que Faroux allait certainement me soumettre à surveillance travaillait mon subconscient. Brusquement, ce me fut intolérable. Si je me sentais des flics sur le dos, ça m'interdirait même de réfléchir. En outre si, quoique j'en aie dit, il me fallait me déplacer ? « Une

bonne planque tranquille, me dis-je, où tu pourras
méditer à loisir (ou roupiller en attendant le miracle),
voilà ce qu'il te faut. » Une bonne planque tranquille ? Eh bien... pourquoi pas ? J'attrapai l'annuaire par rues. Alboni, 4 *bis,* rue de l'Alboni
Mme Barbara Alderton. RANelagh 09-87. Je composai le numéro, en souhaitant que le téléphone fonc-
tionnât et qu'il y eût quelqu'un pour me répondre. Il
fonctionnait et il y avait quelqu'un pour me
répondre.

— Allô, fit la voix un peu craintive et surprise
d'Angela Charpentier.

— Bonjour, dis-je. Ici Nestor Burma. Je peux
venir vous voir ?

— Mais... oui, sans doute.

— A tout de suite, alors.

Mon subconscient ne m'avait pas trompé. Je
m'aperçus bientôt qu'une 4 CV me suivait. Ostensi-
blement. Avec Bouffe-tout-cru à côté du chauffeur.
C'était une gentillesse de la part de Faroux. Ça
signifiait : « Ne faites pas l'imbécile. Nous sommes
là. » Une sorte de protection contre moi-même
Merci, commissaire. Je promenai un petit peu mes
fileurs, puis rangeai ma voiture à proximité d'un grand
magasin. J'entrai ensuite dans le magasin lui-même
et me débrouillai pour en ressortir sans personne
dans mon sillage. Je pris un taxi, en changeai cinq
minutes plus tard et, finalement, c'est par le métro
que je parvins rue de l'Alboni. Vêtue d'une élégante
robe d'intérieur, Angela m'accueillit avec un évident
plaisir mêlé d'une légère confusion.

— Qu'est-ce qui me vaut la joie de votre visite ?

dit-elle. Je suis bien contente de vous revoir. Vous savez, je n'y comptais plus.

— Pourquoi donc ?

— Eh bien.. je pensais que vous pensiez... je veux dire que je me suis conduite...

— N'en parlons plus. Ou, plutôt, parlons-en. Je suis venu pour vous compromettre définitivement. Voilà : des raisons de haute politique m'obligent à déserter un certain temps mon bureau et mon domicile. Je cherche un lieu d'asile. J'ai pensé que vous ne me refuseriez pas l'hospitalité. Tout cela est lié à la recherche des bijoux de votre bienfaitrice, d'ailleurs.

— Des raisons de haute politique ?

— J'appelle ça ainsi. En fait — il serait trop long de vous expliquer pourquoi — la police me surveille. Je ne me sens pas libre de mes mouvements. Or j'ai besoin de ma liberté. Alors...

— Mais bien sûr, fit-elle vivement. Vous pouvez vous installer ici. L'appartement est vaste. Ce ne sont pas les chambres d'amis qui manquent. Venez, je vais tout de suite vous en montrer une ... Surveillé par la police ! ajouta-t-elle, alors que nous traversions toute une enfilade de pièces. C'est extraordinaire !

Le ton se voulait enjoué, mais on y décelait un peu de crainte.

La chambre d'ami, très confortable, donnait sur le quai de New York. Par la fenêtre, on apercevait la tour Eiffel, sur l'autre rive de la Seine.

— Parfait, opinai-je. Je vais être là comme un coq en pâte Où est le téléphone ?

Il était deux pièces plus loin, dans la bibliothèque. J'appelai Hélène.

— Ce que je craignais est arrivé, dis-je. Faroux me fait suivre. J'ai brisé la filature et je me planque.

— C'est génial, remarqua-t-elle, acide. Votre attitude va confirmer le commissaire dans son idée que vous avez des choses à vous reprocher et à cacher.

— Vous avez raison, mais ç'a été plus fort que moi. De toute façon, je ne reviens pas en arrière. Si je dois me déplacer, je veux pouvoir le faire sans fil à la patte. En attendant, j'ai laissé ma bagnole au parking des Galeries. Je n'ai pas l'intention de l'utiliser pour le moment. Si Faroux est furieux, il voudra me remettre la main dessus, et ma voiture pourrait l'aider dans cette tâche. Allez la chercher et rentrez-la au garage.

— Bien, patron. Où vous planquez-vous ?

— 4 *bis,* rue de l'Alboni. Ranelagh 09-87.

— 4 *bis,* rue de l'Alboni ?... Fichtre ! Contrairement à la tradition, vous ne vous cachez pas dans les bas-fonds.

— Non.

Je raccrochai. Angela apparut sur le seuil de la porte de communication, venant d'une autre pièce. Quelque chose m'avertit qu'elle avait écouté notre conversation sur un deuxième poste.

J'en eus la preuve dans l'heure qui suivit. Nous procédions à de menus changements dans la chambre qui m'était destinée, lorsqu'elle aiguilla la conversation sur mon auto d'une manière laissant supposer qu'elle n'ignorait pas que, pour le moment, je ne disposais d'aucun moyen de transport personnel. Finalement, elle décida de louer une voiture sans chauffeur, à toute éventualité. Le temps de consulter l'annuaire, de lancer quelques coups de téléphone et de s'habiller, et elle partit exécuter son projet, me laissant le soin de terminer le ménage. Lorsqu'elle revint, il me fallut descendre admirer l'engin, parqué non loin de là. C'était une bagnole de marque américaine, un peu moins vaste que celle que j'avais remarquée devant les studios des Buttes, le jour de la mort de la speakerine, mais avec laquelle, néanmoins, on passait difficilement inaperçu. Je ne dis rien, me promettant bien, toutefois, de ne l'utiliser qu'en désespoir de cause. Si cette Angela n'avait pas été une vraie gamine, elle aurait réfléchi qu'un bahut pareil ne convenait pas à un gars momentanément obligé à beaucoup de modestie. Seulement, voilà ! c'était ce genre de gamine. C'était aussi ce genre de cuisinière. Elle insista pour qu'on dîne « à la maison ». Il y a des fois où je ne sais pas dire non. Je devrais. Après le repas (conservons-lui ce nom ; ça simplifie), elle téléphona à Cannes pour avoir des nouvelles de Mme Alderton. L'Américaine allait mieux, paraît-il.

*
* *

Cette nuit de mars était douce. Accoudé à la barre d'appui de la fenêtre, la pipe au bec, je regardais le phare tournant de la tour Eiffel, qui semblait vouloir ratisser de son rayon pâle les étoiles luisant au ciel. Un métro franchit le viaduc de Grenelle et le courant emporta le reflet de ses lumières dans la Seine. En bas, sur le quai de New York, des autos circulaient à vive allure, profitant du trafic réduit. Minuit sonna quelque part, dans une pièce lointaine, à une pendule que je m'étonnai de surprendre en activité. Paris exhalait sa rumeur nocturne, aussi ténue qu'un alibi, mais insistante comme un mal secret. Ici, dans ce vaste appartement, qui puait l'abandon malgré ses richesses mobilières, le silence régnait.

Il n'y avait pas longtemps qu'Angela s'était endormie. Je l'avais entendue aller et venir, produire tout un ramdam. Sa chambre n'était séparée de la mienne que par une autre chambre d'ami. Lorsque j'avais constaté cette proximité, je m'étais demandé ce qui allait se passer. Il ne s'était rien passé. Angela avait renoncé aux petits asticotages de la veille.

Je terminai ma bouffarde, fermai la fenêtre, tirai les rideaux et me remis au plumard. Un indéfinissable malaise — que je n'étais pas parvenu à analyser — m'en avait sorti. Et j'étais de nouveau allongé, en proie à cette même impression étrange que ça ne tournait pas rond. Certes, ma situation était insolite. Pour échapper à la surveillance des flics, demander l'hospitalité à une très capiteuse souris que l'on ne connaît que depuis vingt-quatre heures, ne pas être repoussé et roupiller maintenant à quelques mètres d'elle, ce n'était quand même pas banal. Oui, ça pouvait engendrer un curieux sentiment d'anomalie. Sans doute. Mais il y avait autre chose.

Le lendemain, il ne se passa rien de toute la journée. C'était un jeudi. Comme les écoliers, les événements étaient en congé. La nuit vint à son heure habituelle. Vers minuit, je ronflais déjà lorsque la sonnerie du téléphone me réveilla. Instinctivement, je me levai pour aller répondre. Quand j'arrivai dans la bibliothèque où se trouvait l'appareil (un des appareils), Angela, en chemise de nuit des plus suggestives, avait décroché.

— Excusez-moi, dis-je, en amorçant une retraite.

— Ne partez pas, me répondit-elle, en me tendant le combiné. C'est pour vous.

Elle me gratifia d'un léger sourire et quitta la pièce.

— Allô, dis-je.

— Allô, patron ? Ici, Reboul. Je viens de téléphoner à Hélène. Ça ne répondait pas, chez vous. C'est
elle qui m'a donné ce numéro. La mère Pellerin a
reçu la visite d'un cambrioleur. Je ne peux pas vous
en dire plus. Ça fait déjà trop longtemps que je suis
parti du pavillon. Il n'y a pas le téléphone, là-bas. Je
vous appelle d'un bistrot assez distant de la rue des
Forges. Le seul encore ouvert. Vous venez ? Je ne
sais vraiment pas quoi goupiller avec ce mec sur les
bras et la vieille en digue-digue.

— J'arrive.

Je me précipitai vers ma chambre. A la porte de la
bibliothèque, je me heurtai à Angela.

— Je viens avec vous, dit-elle. C'est une veine que
j'aie louée cette voiture, n'est-ce pas ?

— Vous avez écouté sur un autre poste, dis-je en
guise de réponse.

— Oui, reconnut-elle avec son air désarmant de
petite fille légèrement vicelarde surprise en pleine
exploration de la soute aux confitures. Oh ! je sais.
C'est mal élevé.

— Je vous ferai la morale un autre jour. En
attendant, allez vous recoucher. Je n'ai pas besoin de
vous.

— Si, insista-t-elle. Comme infirmière. Vous
n'avez pas entendu ? Une vieille dame est en digue-
digue.

Elle et ses vieilles dames, alors ! Je capitulai.

*
* *

— Voilà l'objet, dit Reboul, en désignant le captif
du canon de son pétard. C'est un costaud. Pour
pouvoir le ficeler, j'ai été obligé de le cogner un peu.

J'ai pensé que ça risquait pas de l'amocher davantage.

L'objet, c'était Roger, le gars que Dolguet avait ramené de la Côte, le voyou excité de la bande à « Zitrone ». Toujours aussi tarte, toujours porteur des mêmes esgourdes en contrevents. Bâillonné, pieds et poings liés, et avec une bosse au front, il gisait sur le tapis d'une chambre de l'étage du pavillon de M\ume Pellerin, celle que la mère de la speakerine avait mise à la disposition de mes agents pour leurs factions nocturnes. A ma vue, il ouvrit des yeux ronds et grogna sous son bâillon.

— Comment ça s'est passé ? demandai-je à Reboul.

— Za me l'a transmis quand je l'ai relevé, ce soir à sept heures. Il l'avait repéré dans l'aprème. Le gars semblait s'intéresser au 15 et n'avait pas cessé de glander dans le secteur. Tout à l'heure, il s'est introduit par-derrière, en forçant la porte de la cuisine. Oh ! il a fait mollo. Je n'ai rien entendu. Mais la mère Pellerin, elle, a dû entendre. En tout cas, elle a crié. Alors, je suis descendu et lui ai sauté dessus. J'ai réussi à l'estourbir. Je l'ai grimpé ici. La vieille était partie dans les pommes et ce n'était pas un spectacle pour elle, à son réveil. Je me suis grouillé de vous avertir... Tenez ! J'ai trouvé ça sur lui.

Il me colla un livret militaire en piteux état. Je l'empochai après l'avoir feuilleté. Il était établi au nom de Roger Bastou. Je m'approchai du mec, le soulevai et l'appuyai contre le lit. Je le débarrassai de son bâillon.

— Comme on se retrouve, hein, Roger ? Qu'est-ce que tu venais foutre ici ?

Il me décocha un sournois coup de châsses.

— J'avais faim et besoin de pognon. J'avais lu dans le canard l'adresse de cette vioque. Je me suis dit : elle doit être seule et facile à intimider. C'est tout.

— Tes potes ne te nourrissent plus ?

— Je les ai laissés choir.

— Ah ! oui ? Bon. Eh bien, à cause de toi, j'ai interrompu mon sommeil. J'ai hâte de le reprendre. On ne va pas paumer son temps en conneries. On va aller gentiment trouver les flics.

— Vous croyez peut-être que ça me fait peur ? ricana-t-il. Ils me boufferont pas sans boire. Tentative de vol, c'est pas la mort.

— Non, mais autre chose l'est. Faudra que tu expliques aux bourres comment tu t'y es pris, en compagnie de Dolguet et de Frédéric Jean, pour tabasser Dubaille à mort et le balancer au jus, après l'avoir délesté des bijoux qu'il venait de barboter lui-même.

— Merde ! Vous savez tout ça ?

— Mais z'oui, mon z'ami.

A ce moment, derrière moi, quelqu'un poussa une sourde exclamation. Je me retournai. Angela.

— L'assassin de Dubaille ! proféra-t-elle, d'une voix haineuse.

— Qu'est-ce que vous foutez là ? dis-je. Je croyais que vous vous occupiez de Mme Pellerin.

— Je m'en suis occupée, répliqua-t-elle, en se drapant comme une reine outragée dans le manteau de vison un peu grand pour elle qu'elle avait endossé à notre départ précipité de la rue de l'Alboni. (En même temps, ses yeux foncèrent et se creusèrent, se chargeant de ce regard dur qu'ils reflétaient parfois.) Elle s'est endormie paisiblement, poursuivit-elle. Je venais vous en informer.

— Bon. Eh bien ! merci pour le rencard et les soins apportés. Retournez auprès d'elle.

— Elle n'a pas besoin de moi.

— Vous voulez rester ici ? (Je la scrutai au plus profond de ses yeux noisette, striés d'or.)

— Oui.

Reboul ronchonna. Je désignai le vilain Roger à Angela.

— Vous vous attendez à ce que je le torture ?

— Vous allez le faire ?

— Vous semblez l'espérer.

— Moi ? (Et la voilà redevenue enfant gâtée.) Pas du tout. Je suis simplement curieuse. Tout cela est tellement nouveau, pour moi ; tellement inattendu !

Je haussai les épaules, lui tournai le dos et fis comme si elle n'était plus là. Je l'entendis remuer une chaise et s'asseoir.

— Oui, mon vieux Bastou, puisque tel est ton blase, je sais tout ça, repris-je, en m'adressant au disgracieux voyou. Mais ce n'est pas tout et je compte sur toi pour compléter mon instruction. Allez ! mets-toi à table et il n'est plus question de flics et on essayera de s'entendre. Qu'en penses-tu ?

— Ben, fit-il, après avoir soupesé la chose, vous pourriez peut-être relâcher un peu ces ficelles, pour commencer. J'ai des fourmis plein les membres. Ça m'empêche de réfléchir.

J'accédai à ses désirs et lui offris même une sèche, puisée au paquet de Reboul. Il la savoura. Nous attendions en silence. Sous la fenêtre, un chat miaula et le sifflet d'une locomotive en pleine action sur la voie ferrée proche lui répondit. Dans mon dos, j'entendais Angela respirer.

— Merde, m'impatientai-je. Tu te décides, Bastou ?

— Ça va, fit-il. Je vais l'ouvrir. Après tout, vous n'êtes pas de vrais flics. Vous m'avez même l'air de drôles de zigues.

Et il parla, confirmant la théorie que j'avais

exposée à Hélène, quatre jours plus tôt. Lui et
Frédéric Jean avaient été embauchés par Dolguet
pour tourlousiner Dubaille. De bonne heure, ils
s'étaient embusqués non loin des *Quatre Pins,* attendant la sortie du gigolpince qui, paraît-il, avait
l'habitude d'aller se baigner tôt et seul. Tout s'était
passé comme je l'avais imaginé. Ces cons-là avaient
frappé trop fort. Puis ils avaient découvert ce que
Dubaille transportait dans son sac de plage. Ils
s'étaient débarrassés du corps et avaient conservé les
bijoux. Dolguet les avait planqués dans une caisse
contenant du matériel de télé et était rentré à Paris...

— Toi l'escortant, dis-je.

— Ben oui. J'allais pas le laisser seul avec le
trésor. On sait jamais.

— Mais Frédéric Jean est resté à Cannes, lui ?

— Oui. C'était plus prudent. Valait mieux pas
avoir l'air de fuir. C'était déjà assez que je sois obligé
de suivre Dolguet. Fredo devait nous rejoindre plus
tard.

— A moins que vous ne l'ayez laissé choir. En tout
cas, vous rejoindre, il a essayé, mais il lui est arrivé
des pépins. Ça me fait penser qu'il a dû t'en arriver à
toi aussi, et du même genre. A Paris, Dolguet t'a
hébergé pendant quelques jours et puis tu as disparu.
Au cours de tes sorties, tu ne serais pas tombé dans
une rafle, par hasard ?

— Tout juste. Bien entendu, je l'ai bouclée.
J'allais pas dire aux flics que je logeais chez Dolguet,
hé ? Je me suis laissé condamner pour vagabondage
et aussi pour une babiole que le Parquet de Marseille
me reprochait. Trois fois rien. Mais enfin, je suis allé
en cabane.

— Et tu en es sorti en décembre dernier. Aussitôt,
tu es retourné, accompagné de certains gars, au
domicile de Dolguet. Qu'est-ce que c'est que ces

types, et principalement celui qui m'a reçu à la campagne avec un masque de carnaval, celui qui semble être le chef ?

— C'est Emmanuel Vivonnet, un ancien caïd, d'après ce qu'on m'a raconté. Pour le moment, il est comme qui dirait retiré des affaires. Il est établi commerçant tout ce qu'il y a de plus patenté. Paraît qu'il a des intérêts dans des tas de restaus, cabarets, des boîtes comme ça. Légalité d'abord. Les trucs illégaux, c'est plus son rayon. Sauf quand ça roule sur des millions et des millions. C'est pourquoi il s'intéresse aux fameux bijoux en question. Il en avait entendu parler, mais il y croyait pas beaucoup.

— Mais quand tu lui en as parlé, toi, il y a cru ? Bizarre. Il ne t'a pas pris pour un qui voulait l'escroquer ? Ce sont des choses qui sont arrivées, dit-on.

— Oh ! moi, il m'a cru parce que, d'abord, je lui en ai parlé sans le vouloir. Vous allez voir ! A la prison, je suis tombé malade. On m'a transporté à l'infirmerie. L'infirmier qui s'occupait de moi, c'était p'tit-Loulou. Vous le connaissez... (Il me décrivit le particulier qui offrait quelque ressemblance avec l'employé de ma perception.) On est devenu copains. Puis j'ai guéri. Loulou, lui, sa peine terminée, est sorti, et enfin, en décembre dernier, je suis sorti aussi. Surprise ! Loulou m'attendait à la porte. « Viens avec moi, qu'il me dit. Je vais te présenter à quelqu'un. » Ce quelqu'un, c'était Vivonnet. Savez pas ce qui s'était passé ? Quand j'étais malade, j'avais déliré ou rêvé tout haut, et Loulou avait tout enregistré...

— Tu avais rêvé tout haut des bijoux Alderton ?

— Des bijoux, de Dolguet, de Dubaille, de tout le saint-frusquin. Loulou s'était dit que c'était peut-être pas du vent et il en avait parlé à Vivonnet...

— Lequel t'a fait prendre en charge à ta sortie ?

— Comme vous dites. Je lui ai tout raconté et on est allé chez Dolguet. Même que ça a bien fait rigoler Vivonnet qu'un type comme Dolguet, un type de la télévision, soit dans le coup. C'est ça, il me l'a dit ensuite, qui l'a conduit à me faire confiance. Il est pas superstitieux, Vivonnet, mais enfin la coïncidence est marrante, il y a vu un signe du destin, quoi ! C'est vrai, tout de même ! Il en sortait pas, de la télévision !

— Sortait pas de la télévision ? Comment ça ?

— Façon de parler. Vivonnet, c'est un commerçant, s'pas ? Un gars qui peut jouir de la vie dans ce qu'elle a de mieux. Bref, pour le moment, en décembre, sa maîtresse c'était... et c'est encore, d'ailleurs, mais depuis que vous êtes intervenu, il la voit presque plus, pour pas la compromettre, sa maîtresse, je vous disais, c'est une bonne femme de la télé, une actrice. C'est pour ça que je vous disais qu'il en sortait pas, de la télé.

— Une actrice ? Tu sais son nom ?

— Son prénom seulement. Lydia.

Lydia ! Oui, oui. Lydia Orzy, la rouquine artificielle qui partageait, avec la brune Olga Maîtrejean, l'affiche de la « dramatique » de Lucot, interrompue par une série de crises de nerfs consécutives à la mort de Françoise, la speakerine. Et brusquement, je les revis toutes les deux, sur le plateau de répétitions, débitant leur texte, se jetant à la gueule, avec une conviction suspecte, des injures écrites par l'auteur de la pièce, certes, mais qu'au moins l'une des deux protagonistes semblait prendre à son propre compte... Hum...

Je revins à Bastou.

— Donc, Vivonnet, Loulou, Tout-du-Gangster... Au fait, tu connais peut-être son vrai nom, à celui-là.

C'est le grand. Pour te fixer les idées, j'ajouterai qu'il lui est peut-être arrivé malheur, ces jours-ci !

— Ah ! gémit-il. Eh bien ! dis donc ! pour vous apprendre quelque chose, à vous !

— Apprends-moi toujours le nom de ce mec. Ça facilitera la conversation.

— On l'appelait Pierrot.

— Gy. Je disais donc que vous tous, vous allez rue d'Alésia, au domicile de Dolguet, et là vous apprenez par sa femme que Dolguet est mort, bêtement grillé dans l'incendie des studios des Buttes et que, bien avant ça, une séparation de corps avait été prononcée. A tout hasard, vous fouillez l'appartement. Nib. Dolguet a planqué le trésor le diable sait où et il a emporté son secret dans la tombe. Qu'avez-vous fait, alors ?

— Vivonnet s'est débrouillé pour savoir avec qui vivait Dolguet à l'époque de sa mort. Françoise Pellerin, la speakerine. Loulou et moi lui avons rendu une visite domiciliaire, en son absence, rue Saint-Benoît. Encore un coup pour rien. Je crois pas qu'ils aient jugé utile d'interroger la fille. Dolguet, c'était pas le gars à mettre ses bonnes femmes dans ses secrets. Fin finale, j'ai l'impression qu'à partir de ce moment Vivonnet a perdu un peu de sa confiance.

— Mais il t'a conservé quand même auprès de lui ?

— Ben, ils m'ont installé dans la maison des environs de Jouy-en-Josas. Je vivais là avec une fille et Loulou et Pierrot. Pas à me plaindre. Sauf qu'il valait mieux pas que j'essaye de sortir...

— Bref, ils te séquestraient. Ils te voulaient en exclusivité. Et, de temps en temps, on te droguait peut-être un peu aussi, non ?

— C'est pas impossible. Y avait des matins où j'étais pas fichu de me rappeler ce que j'avais fait la veille.

— Par le régime auquel ils te soumettaient, ils essayaient de se rendre compte de ta sincérité. Voir aussi s'il ne t'échapperait pas un détail intéressant que, en petit futé, tu aurais pu leur cacher. Donc, te voilà en train de mener la vie de château. Et pendant ce temps, que fait Vivonnet ?

— Ben, il continue à s'occuper de ses affaires, ses restaus, ses boîtes de nuit, et je me demande même s'il finit pas par faire plus ou moins son deuil de cette histoire de bijoux, lorsque vous lancez votre bombe.

— Je lance une bombe, moi ?

— Façon de parler. Vivonnet accompagnait souvent sa Lydia au studio. Il y était le jour où la môme Pellerin est morte. Je vous raconte tout ça d'après ce que j'ai appris par la suite... Alors, comme vous êtes flic privé, et que vous étiez là pour la speakerine, et que cette fille, qui venait de mourir mystérieusement, avait été la maîtresse de Dolguet, vous comprenez ? Le ciboulot de Vivonnet s'est mis à bouillonner et il a retrouvé du goût pour les bijoux parce qu'il a compris que vous les chassiez aussi.

— Oui, oui. Et que s'est-il passé après mon départ brusqué de ta résidence campagnarde ? Je vous ai laissé en pleine action. J'ai même entendu un coup de feu.

— Il est parti tout seul, au cours de la bagarre. Sans blesser personne, heureusement. Ça nous a fait reprendre nos esprits. Moi le premier, j'ai réalisé que nous débloquions. Alors, on a refait l'union. Nous avions perdu trop de temps pour pouvoir nous lancer à votre poursuite. Mieux valait parer au plus pressé : aller se planquer ailleurs. Cet endroit est plus sûr du tout, qu'il a dit, Vivonnet. Pour ça, c'est pas les locaux où on peut s'abriter qui lui manquent. On a déménagé presto. La baraque avait été louée meublée par un homme de paille ou l'homme de paille d'un homme de paille. Ça, c'est le côté astucieux de Vivonnet, quand ça fonctionne bien, chez lui. Mais ça fonctionne pas toujours. Surtout lorsqu'il a peur. Et vous pouvez vous vanter de lui avoir flanqué la pétoche. Il se lamentait. Vous aviez vu sa bobèche, et vous l'aviez reconnu, et vous alliez vous accrocher. Et pourtant... « Je sais pas ce qu'il cherche, ce privé, qu'il a dit, mais c'est pas les bijoux », etc. Il s'en est pris à moi. Tout ça, c'était ma faute ; si j'étais pas venu lui parler de ces fichus bijoux, il serait bien peinard ; il avait bien envie de tout laisser choir. Bref, il perdait les pédales. Remarquez que, depuis, je crois qu'il a repris du poil. Pierrot était bigrement à renaud, lui aussi. C'était un gars qui parlait pas souvent, mais quand il l'ouvrait, pardon : c'était pas pour vous annoncer l'heure.

— Si. La dernière.

— La dernière ?... Ah ! oui. Vous devinez ce qu'il a dit ?

— Je m'en doute : il a suggéré de me mettre en l'air.

— Tout juste. Il a dit que, lui, il laissait pas choir et qu'en ce qui vous concernait, c'était simple : puisque vous saviez rien sur les bijoux, mais que vous étiez quand même un obstacle, il y avait qu'à vous descendre.

— Et c'est ce que, profitant d'un moment de liberté, il a tenté de faire.

— Oui. On l'a appris plus tard. Il s'était éclipsé tout de suite après notre installation dans une autre planque pour faire ce beau coup

— Il a donc agi de sa propre initiative.

— Oui. Quand il a proposé de vous supprimer, Vivonnet s'est récrié. Vivonnet était pas du tout partisan de ça.

— Mais il était partisan de tout laisser choir.

— Peut-être. En tout cas, c'était pas très intelligent d'aller vous descendre comme ça.

— Non. Enfin... Continue, Bastou. Comment avez-vous réagi quand la radio, dimanche, puis les journaux, lundi, ont annoncé la découverte, à l'étang de Saclay, d'un cadavre inconnu ?

— Oh ! moi, vous savez, ça m'a fait ni chaud ni froid. J'étais loin de penser qu'il s'agissait de Fredo. Ça n'a pas fait beaucoup d'effet à Vivonnet non plus, paraît-il, mais ça l'a quand même pas enchanté. A cause des pointes que les enquêteurs avaient poussées jusqu'à la maison que nous venions de quitter, comprenez ? Il se réconfortait en pensant que, quoi qu'il advienne, c'était pas lui qui avait zigouillé ce type, et qu'il n'y avait aucun lien entre lui et nous.

— Evidemment. Et Pierrot, qu'est-ce qu'il disait ?

— Rien. Il lisait les canards, c'est tout.

— Pour voir si on y signalait ma fin tragique. A propos de canards, le *Crépu* de dimanche a publié l'adresse du pavillon où nous sommes actuellement...

— Je sais. C'est là que je l'ai lue.

— Vivonnet a dû la lire aussi. Il n'a pas fait de remarque ?

— J'en sais rien, mais je crois pas. Vivonnet, ces jours-là, tout ce qui pouvait lui rappeler l'affaire des bijoux ou ses suites, il l'écartait. Il était décidé à laisser choir. Et voilà que lundi soir, ailleurs qu'à notre planque — c'est Loulou qui m'a raconté ça le lendemain, mais sans détailler —, Vivonnet surprend la conversation téléphonique entre Pierrot et vous et, du coup, en apprend de belles. Malheur ! Et comment, que nous étions liés au cadavre de Saclay, maintenant ! Il est devenu fou de rage. Résultat : plus de Pierrot. Moi, cette ambiance a commencé à m'inquiéter. Je me suis mis à tirer des plans en vue de me carapater. Hier, voyez surprise ! Les journaux

annoncent qu'on a identifié le mort de Saclay. Fredo,
mon vieux pote du littoral. Vivonnet connaissait sa
participation à l'embuscade des *Quatre Pins*. « Alors
comme ça, qu'il fait, ce Fredo était chez Burma,
puisque c'est chez Burma que ce faux jeton de
Pierrot l'a descendu. Ça donne à penser. » Bref, il a
repris goût à la chasse aux bijoux, persuadé que sa
première idée était la bonne, que vous trempez là-
dedans jusqu'au cou. Moi, la course au trésor, j'en ai
ma claque. Mes plans étaient faits. Aujourd'hui, j'ai
eu l'occasion de les appliquer. Je me suis tiré. Sans
un radis, mais avec ma peau intacte. Voilà.

— Bien. Nous voilà revenus au commencement.
Que venais-tu fabriquer ici ?

— Je vous l'ai dit. Un casse. Un simple casse. Que
je croyais de tout repos. Vous voyez comme on se
goure.

Il y eut un silence.

— Je crois que tu dis la vérité, fis-je enfin.
D'ailleurs, si un autre but te poussait, n'aie aucun
regret. J'ai déjà perquisitionné ici...

Je réfléchis soudain que lorsque j'avais visité les
affaires de la speakerine, je ne cherchais rien se
rapportant à des bijoux... Je passai dans ce qui avait
été la chambre de Françoise, à l'époque où elle vivait
à Châtillon. J'ouvris l'armoire. Tout était dans l'état
où je l'avais laissé lors de ma première inspection.
Quelques vêtements sur leurs cintres et, dans le bas
du meuble, le Marché aux Puces en miniature.
Apparemment, rien de nature à fournir un indice.
Du moins à moi. Peut-être que Bastou... Je retournai
auprès de lui, lui déliai les chevilles, donnai du mou
supplémentaire aux ficelles de ses poignets et l'ame-
nai devant l'amoire. Reboul veillant au grain et
Angela toujours curieuse nous suivirent.

— Voilà, dis-je. (C'était un coup d'épée dans

l'eau, mais on ne sait jamais.) Examine ce bazar et dis-moi s'il y a un objet qui t'inspire une quelconque réflexion.

— Y a bien le porte-jarretelles, ricana-t-il.

— On rigolera un autre jour.

— Bon. Comme vous voudrez... (Il s'accroupit devant le meuble et entreprit de jouer au chifforton.) ... Tiens ! on a récupéré les bidules à Dolguet ?

Il se redressa, une demi-douzaine de breloques-porte-clés fantaisie à la main.

— Ça appartient à Dolguet ? demandai-je.

— Ça pourrait. Il collectionnait ce genre de trucs. En 1962, à Cannes, à la fameuse époque, il m'a bassiné pour que je lui refile celui que j'avais en souvenir d'une fête votive de Marseille. C'était un porte-bonheur. Ça me fait penser que, depuis, j'ai eu une drôle de poisse.

— Tu sais, il n'a pas été mieux partagé, cézigue. Périr dans un incendie !

— C'est vrai !

Vivement, il balança les porte-clés sur la table, comme s'ils étaient tous maléficiés. Je demandai :

— Vous en avez trouvé, rue Saint-Benoît, de ces objets ?

— Chez la veuve de la main gauche ? Oui. Ça a l'air d'être ceux-là.

— Et rue d'Alésia, chez la vraie veuve ?

— Non.

— Hum... Ces breloques... (Elles éveillaient en moi un souvenir confus.) ... Tu ne m'as pas déjà parlé de ces breloques ?

— Non. Je suis pas resté muet, vous avez pu vous en rendre compte, mais je vous ai pas parlé de breloques. De toute façon, ricana-t-il, c'est pas avec ces bidules qu'on retrouvera le trésor.

— Pourquoi pas ?

— Pourq... (Il ouvrit des yeux ronds.) ... Ah ! oui... (Il se mit à rire.) ... Je vois... La déduction en chaîne. De la breloque à la clé et de la clé au coffre où Dolguet a planqué le magot. Eh bé, dis donc !... A propos de clés, vous espérez vivre vieux, vous, parce que, des clés, il y en a une ribambelle, là-dedans, et si vous voulez vous amuser à trouver les serrures correspondantes...

— Ça va, Bastou. Je ne suis quand même pas idiot. Bon. C'est tout ce que le contenu de cette armoire t'inspire ?

— C'est tout. Le trésor est pas là.

— Eh bien ! n'en parlons plus ! Dites-moi, Reboul, vous avez toujours votre maisonnette, à Verrières ?

— Oui.

— Nous allons y conduire ce jeune homme. Vous le garderez là-bas tout le temps qu'il faudra.

— D'accord.

— Je vois, dit Bastou. Pour le moment, vous tenez pas à ce que les flics m'épinglent, hé ? Je pourrais parler des bijoux, et ça vous gênerait dans vos recherches, vous me mettez sous globe. Et quand ce sera terminé... (Il s'interrompit et haussa les épaules.) ... Oh ! et puis, merde ! Après tout, à la campagne, on respire. On y va ?

Nous laissâmes Mme Pellerin, endormie, à la garde d'Angela, et fîmes monter Bastou dans la bagnole. Reboul se mit à ses côtés, sur la banquette arrière. Je pris le volant.

La nuit était calme. Sur la voie ferrée de la gare des marchandises Montrouge-Châtillon, des trains manœuvraient. Pour gagner Verrières, il fallait passer sur le pont des Suisses, qui enjambe cette voie ferrée. Ce fut à cet endroit que Bastou nous joua un tour à sa façon.

Pratiquement, il était libre de ses mouvements. Je n'avais pas cru devoir lui entraver les guibolles et resserrer les liens, très lâches, de ses poignets. Brusquement, il se rua sur le manchot. Je stoppai aussi sec pour porter secours à Reboul. Mais déjà l'autre manche trissait comme une flèche vers une palissade constituée par des traverses de chemin de fer.

Il se faufila par une brèche, et lorsque nous arrivâmes à celle-ci, nous le vîmes courir le long des rails luisant sous les projecteurs blafards...

Et soudain, ce fut le drame. Ça ne fit pas un pli ; ce fut expédié en moins de deux.

Bastou trébucha, se cassa la gueule, et, avant qu'il ait pu se redresser, un wagon, catapulté par une locomotive, lui passa sur le corps.

— Quel con ! murmura Reboul.

Cependant, des hommes d'équipe se précipitaient. Leurs voix parvenaient jusqu'à nous. Nous conclûmes de certaines paroles attrapées au vol que Bastou avait cessé de vivre.

— Un blouson noir de moins, dis-je, ne voulant pas être en reste d'oraison funèbre avec mon collaborateur.

Nous retournâmes au pavillon de la rue des Forges.

*
**

Mme Pellerin pionçait toujours. Angela manifesta sa surprise de nous voir si rapidement de retour. Je lui en dis la raison. La mort du truand ne parut pas l'affecter outre mesure, quoiqu'elle s'abstînt de tout commentaire. Laissant Reboul continuer son boulot de veilleur de nuit, encore qu'il fût exclu que Mme Pellerin reçût encore de dangereuses visites, la jeune fille et moi reprîmes le chemin de la rue de l'Alboni. Il était quatre heures du matin. De tout le trajet, Angela ne prononça pas un mot.

Avant de m'endormir, je déchirai en menus morceaux le livret militaire de Bastou et dressai en partie le bilan de la soirée. Je n'avais pas à me plaindre. Si, cet après-midi encore, rien ne prouvait que Dolguet ait réellement détenu les bijoux, il n'en allait plus de même maintenant. Bastou avait confirmé ma théorie. Evidemment, cela ne m'indiquait pas où il fallait les chercher, mais c'était quand même un progrès. Comme en ce qui concernait la mort de la malheureuse speakerine. Là aussi, il y avait progrès.

CHAPITRE X

LA MAIN QUI TREMBLE

Le lendemain, il était dix heures et je dormais encore lorsque Angela vint frapper à la porte de ma chambre. Ma secrétaire me réclamait au téléphone Je me précipitai vers la bibliothèque

— Mme Dolguet a reçu le mot que vous aviez déposé chez sa concierge et vient de me téléphoner, me dit Hélène tout de go. Je lui ai communiqué votre nouveau numéro. Elle va sans doute vous appeler J'ai aussi noté le sien. Le 20, à Malesherbes. Pas le boulevard. Le patelin du Loiret. Vu?

— Vu. Et maintenant, je vous dis bonjour, puisque vous ne m'en avez pas laissé le loisir, et vous me le dites aussi.

— B'jour. Et j'ajoute que *sa* voix d'or, le matin, si on peut appeler ça le matin, ce n'est pas ça On jurerait du titre Fix.

— Allons, ne soyez pas méchante. Si je vous disais que nous avons eu une nuit chargée?

— Pas de détails. A propos de nuit, Reboul

— Justement. Il est en partie responsable de cette nuit chargée. Je vous expliquerai plus tard

Encore deux ou trois propos à la gomme, et je raccrochai. En quittant la bibliothèque, je me heurtai à Angela. Ça devenait une habitude

— Je suis en train de préparer du café, dit-elle, avec un charmant sourire. (Je ne remarquai rien de suspect dans sa voix d'or. A tout point de vue, Hélène se faisait des idées.) Je le servirai dans le salon.

— Vous êtes bien gentille. Dites-moi, vous m'avez rassuré, tout à l'heure, quand vous êtes venue me réveiller. Vous parliez. Figurez-vous que depuis notre retour de Châtillon, je me demandais si vous n'étiez pas brusquement devenue muette.

— Moi ? Pourquoi ? Quelle idée !

— Vous n'avez pas prononcé un mot. En de semblables circonstances, j'en sais plus d'une, surtout de votre âge, qui n'aurait pas arrêté de poser des questions.

— Eh bien ! je ne suis pas comme les autres, voilà tout !... Que vouliez-vous que je dise ? ajouta-t-elle, avec gravité. Tout ce à quoi j'ai assisté cette nuit, tout ce que j'ai entendu... ce qui s'est passé, ensuite... cela m'a tellement impressionnée... vraiment, il était inutile que je le prolonge encore par des paroles et des questions...

*
* *

Vingt minutes plus tard, j'appelai le 20 à Malesherbes. Avoir au téléphone une conversation sérieuse comme celle que je désirais, n'étais guère facile. J'essayai tout de même. Il se révéla rapidement que Mme Dolguet m'avait tout dit, concernant son mari, lors de notre unique entrevue.

— Depuis quelques heures, quelque chose me tarabuste, dis-je, en fin de conversation. C'est au sujet de certaines breloques publicitaires ou fantaisie. Vous savez : des porte-clés. J'ai appris que votre mari les collectionnait.

— C'est exact.

— M'en avez-vous parlé ?

Non, elle ne m'en avait pas parlé. Je la remerciai, raccrochai et me retirai dans ma chambre.

Qui donc, récemment, avant Bastou, m'avait parlé de breloques en y associant Dolguet ? Je me creusai un peu le crâne et puis, comme rien ne venait, j'appelai la photo du sire à la rescousse. Elle me fournit la réponse. Personne ne m'avait parlé de breloques, mais, sur cette photo, j'avais remarqué, sans y attacher d'importance, qu'il en pendait une hors du gousset du gilet de l'avantageux technicien de TV.

Brusquement, plusieurs idées se télescopèrent dans mon ciboulot. Plusieurs questions aussi, pour changer.

Je rejouai du téléphone. J'appelai en premier lieu Jacques Mortier, l'aimable gars de la TV, service des renseignements en tout genre. Selon sa réponse, je rappellerais ou non Mme Dolguet.

— Allô ! Mortier ? Ici, Nestor Burma, l'insatiable. Dites-moi, vous m'avez raconté pas mal de choses sur Dolguet, mais je ne me souviens pas si vous m'avez dit dans quel état était son corps. Est-ce qu'il était complètement carbonisé, c'est-à-dire genre bifteck méconnaissable ?

Pour la première fois depuis que j'avais recours à lui, Mortier se permit des commentaires :

— Oh ! oh ! fit-il. Méconnaissable ! Insinueriez-vous que le cadavre n'était pas celui de Dolguet ?

— Non, rassurez-vous. Je ne vais quand même pas compliquer les choses à plaisir, quoique...

Je m'interrompis. Brusquement, il venait de m'apparaître que je n'avais jamais sérieusement examiné les circonstances de la mort de Dolguet. Il est vrai

que je n'avais guère eu le temps. Mais leur étude
était encore possible Et pouvait être fructueuse
—   Quoique cette mort ait été assez mystérieuse

— Ou i, si l'on veut

Le ton manquait de conviction. Je dis :

— Je parlais d'après le peu que j'en sais. Par
exemple, certains prétendent qu'il est mort victime
de son bon cœur Il se serait jeté dans la fournaise
pour secourir un camarade. D'autres rejettent cette
hypothèse. Moi, je finis par me demander si on ne l'a
pas poussé

Il se mit à rire.

— Oh! là là! comme vous y allez! Non, non.
Détrompez-vous. Il n'a pas été poussé. Et personne,
flics y compris, n'a jamais pensé qu'il ait été poussé
Mais personne, non plus, n'a pensé qu'il se soit
précipité au secours de qui que ce soit. D'ailleurs, là
où les flammes l'ont surpris, il n'y avait personne en
danger Sauf lui, évidemment. Mais il était seul. Bien
sûr, puisque vous parlez de mystère, il y en a bien un,
si l'on veut.

— Lequel ?

— Oh! c'est un mystère qui n'en est pas un.
Dolguet se trouvait dans un endroit des studios où,
régulièrement, il n'avait rien à faire Non que ce soit
interdit, mais ses fonctions ne l'appelaient nullement
dans ce secteur En règle générale, on a pensé que
lorsque l'incendie s'est déclaré, il attendait là une
fille — qui ne s'est pas fait connaître — à laquelle il
avait fixé rendez-vous — c'était un type comme ça —
et qu'il avait alors tenté de se sauver en fuyant vers le
magasin des accessoires — un des magasins, car il en
existe plusieurs. Ce qui, entre parenthèses, n'était
pas bien malin Il faut dire que, peut-être, à moitié

asphyxié déjà par la fumée, son cerveau ne fonction
nait plus normalement.

— Pourquoi n'était-ce pas bien malin ?

— Parce que ce magasin en question, dans un des
couloirs d'accès duquel Dolguet a trouvé la mort, est
désaffecté. Ce n'est pas qu'il soit vide. Au contraire
Il déborde de meubles, et tellement imbriqués les uns
dans les autres qu'on ne les sort jamais. Alors, quelle
issue offrait-il ?

— Je ne sais pas. Je ne suis pas du coin, dis-je, car
il avait l'air d'attendre une réponse. Mais, personnellement, en cas d'incendie, je n'irais pas me réfugier
parmi les meubles. Ça risque de flamber trop facilement.

— Oui, mais voilà bien l'ironie du destin Par
chance extraordinaire, ce magasin menacé n'a pas été
touché et, en somme, si Dolguet avait réussi à y
pénétrer, il aurait pu s'en tirer, malgré la présence
environnante de meubles inflammables. Seulement,
y pénétrer était impossible, la porte étant fermée De
toute façon, il est mort avant d'atteindre le magasin,
dans le couloir y conduisant, c'est-à-dire un couloir
pratiquement sans issue. Il devait avoir perdu la tête

— Sans doute. Revenons à ma première question,
voulez-vous ? Je vous demandais son degré de torré-
faction. J'aimerais savoir si l'état du corps permettait
de récupérer des choses qu'il aurait eues sur lui, ou si
tout avait fondu.

— Oh ! il n'était pas carbonisé à ce point ! Je crois
qu'on a trouvé dans ses poches le bric-à-brac ordinaire que nous transportons à peu près tous. Je parle
des objets métalliques clés, etc Evidemment, pas
flambant neuf.

— Flambant neuf ! Vous avez de ces mots !

Sur cette bonne plaisanterie, nous raccrochâmes

Je pouvais rappeler Mme Dolguet, maintenant. Je le
fis.

— Excusez-moi, chère madame, mais c'est encore
moi. Nestor Burma, l'homme qui pose des questions
idiotes. Des questions pénibles aussi, parfois. Enfin,
voilà : vous étiez séparés, mais non divorcés lorsqu'il
est arrivé malheur à votre mari. Donc, vous étiez
toujours son épouse légitime, n'est-ce pas ? C'est
donc certainement à vous que les autorités ont remis
les objets personnels trouvés sur le corps de Dolguet.

— Oui, c'est exact.

— Une breloque figurait-elle parmi ces objets ?

— Une breloque ?... Ah ! ces breloques vous
poursuivent toujours ? Eh bien, maintenant que vous
en parlez... oui, il y avait une breloque.

— Dans un triste état, sans doute. Vous avez dû
jeter tout cela à la poubelle, évidemment, dis-je en
souhaitant me tromper.

— Non, dit-elle. Vous comprenez, il y avait bien
la breloque que vous dites, mais aussi des clés, une
chaînette d'or, sa montre, deux bagues. J'ai pensé
que, peut-être, sa... enfin, la femme avec qui il vivait
désirerait les récupérer.

— Et elle l'a fait ?

— Non. Et moi, je n'ai rien fait non plus. Tout
cela est resté où je l'avais mis. Avec des vieilleries.

— Rue d'Alésia ?

— Oui.

— J'aimerais examiner ces objets.

Rendez-vous fut pris pour le lendemain samedi,
vers midi, rue d'Alésia. Je raccrochai et, avant de
regagner ma chambre, partis à la recherche d'Angela. Je la trouvai dans une pièce que je ne connaissais pas encore. Enfoncée au creux d'un fauteuil, elle
lisait. Non loin d'elle, un téléphone reposait sur une
table *ad hoc*. Je ne me demandai même pas si elle

avait écouté mes diverses conversations. Il fallait que je m'en accommode. Elle leva les yeux de son livre et me fit un gracieux sourire.

— Paris ne va pas être content, dis-je. Vous dédaignez ses charmes.

— J'ai l'intention de sortir cet après-midi, dit-elle. Vous viendrez avec moi ?

— Non. J'ai encore beaucoup à réfléchir.

Je réintégrai ma chambre. J'allumai ma pipe, m'allongeai sur le lit et commençai à m'envelopper de fumée.

Qu'y aurait-il à l'extrémité de la breloque ? Peut-être une clé. Peut-être rien du tout. S'il y avait une clé... Le ricanement de Bastou retentit à mes oreilles : « Il y en a, des clés, ici. Si vous voulez vous amuser à rechercher les serrures correspondantes, il vous faudra vivre vieux. »

Oui, il avait raison. Il avait l'esprit cartésien. Et Vivonnet and Co devaient l'avoir aussi. C'est pourquoi, du moins à ma connaissance, ils n'avaient pas paru s'inquiéter beaucoup de clés, lorsqu'ils avaient rendu visite à Mme Dolguet. Des clés sans serrures ne les intéressaient pas. Ils eussent préféré des serrures sans clé.

Cartésiens ? Les clés ne les intéressaient pas. Parlez-leur plutôt d'un bulletin de consigne. Ça, c'était dans leurs cordes. Ils voyaient la chose comme s'ils y étaient : un type, déposant à la consigne d'une gare une valise contenant trois cents millions de bijoux. Seulement, le bulletin de consigne, s'il existait, n'était ni rue d'Alésia ni rue Saint-Benoît Dolguet ne devait pas s'en séparer. Résultat : il avait grillé avec lui. Ces bulletins de consigne, c'est fragile

Dans ces conditions (et pour la première fois, je m'interrogeai sur les méthodes de travail de Vivonnet et compagnie), comment espéraient-ils, à moins d'un miracle (ohé ! les cartésiens !), parvenir à découvrir le magot ? Ma foi ! je crois que la réponse était simple.

Prenons Bastou. Lui, il n'espérait plus rien. Les bijoux n'étant plus rue d'Alésia, il ne voyait pas dans quel sens orienter les recherches. Alors, nourri, logé, il se laissait vivre, en dépit de quelques inconvénients, n'abandonnant cette situation que lorsque ça tournait au vinaigre.

Vivonnet, lui, attendait que, dans un état second, Bastou lâche un renseignement précieux précédemment celé. Voilà comment on pouvait définir la méthode Vivonnet. Le gangster s'était un peu agité quand j'avais introduit ma gracieuse silhouette dans le décor, et alors, s'imaginant que je savais des choses, il avait voulu me les arracher ; mais, en gros, sa méthode, c'était ça. Alors, les clés, là-dedans...

« Si vous voulez vous amuser à rechercher les serrures correspondantes... » D'accord, mon petit puits cartésien. Avec ces clés-là, gisant en pagaille dans le bas de l'armoire de la chambre de jeune fille de Françoise Pellerin, avec ces clés-là, peut-être n'y a-t-il rien à faire, car ce sont clés anonymes, convenant aussi bien à une commode qu'un buffet, à un clapier qu'à une cave. Mais il existe d'autres clés. Et c'est peut-être une clé de ce genre qui pend au bout de la chaîne de la breloque. La clé numérotée d'un coffre de banque, portant (pourquoi pas ?), le nom de la banque elle-même. Oui, je sais... on me dira : « Pourquoi au bout de cette breloque ? » Ah ! eh bien ! voilà... une idée... une intuition... Pas cartésien... Evidemment, il peut y avoir, au bout de la chaîne, aussi bien cette clé de coffre que rien du tout, mais moi je crois à la clé de coffre..

A moins que...

Hum... Vivonnet sait ce qu'est une clé de coffre. Il

a fouillé, rue d'Alésia. Il a tenu entre ses mains les objets personnels retrouvés sur Dolguet. Il n'aurait pas laissé passer une clé de coffre. Maldonne, Nestor! Ce n'est pas une clé de coffre que tu trouveras au bout de la breloque. Tu trouveras peau de balle. A moins que... Il n'y a pas que des clés de coffres bancaires...

J'en lâchai ma pipe.

Debout devant moi, il me sembla voir Dolguet, avec son air satisfait d'homme à femmes et son gilet fantoche. Il tendait vers moi une main au creux de laquelle reposait une clé. Une clé dont je ne distinguais pas les contours, mais peu importait. Sous l'effet des flammes qui l'environnaient, elle brillait d'un insoutenable éclat.

— Ah! bon sang! si c'était... Ce serait trop beau. Ce serait... Je cessai de m'agiter. Pour le moment, il n'y avait qu'à attendre.

*
**

Mme Dolguet était déjà chez elle, lorsque je sonnai à sa porte, le lendemain samedi, à midi moins dix. Arrivée depuis peu de Malesherbes, elle avait toutefois eu le temps de rechercher dans les « vieilleries », comme elle disait, les dépouilles opimes de son ex-époux.

Elles m'attendaient au centre d'un guéridon, comme sur un écrin, dérisoires épaves poussiéreuses, noircies et attaquées par le feu. Je négligeai la montre, les bagues, ainsi que les clés, réunies par un anneau ordinaire, et qui étaient vraisemblablement des clés d'appartement, pour me consacrer à la breloque. Plus exactement au mousqueton qui terminait la chaîne. Deux clés d'inégale longueur y étaient attachées.

Aucune d'elles n'était une clé de coffre bancaire.
La plus grande, dont la tige pleine mesurait cinq
centimètres environ, ressemblait à une clé de cave et
peut-être, après tout, n'était-ce que cela. L'autre,
moins longue de deux centimètres à peu près,
pouvait passer pour une honnête clé de table de nuit,
de commode ou de buffet. Ça me plut. Je regardai si
la première ne portait pas une marque quelconque.
Nulle part je n'en vis. Je constatai seulement qu'elle
était d'un travail assez grossier, comme fabriquée par
un amateur. Je demandai à Mme Dolguet si son ex-
mari était bricoleur et elle me répondit affirmativement. Cette clé pouvait être l'œuvre de Dolguet. Ça
me plut aussi. Je repris l'autre, la plus petite. Celle-là
ne sortait pas des mains d'un serrurier de contre-
bande, et plus je la considérais, plus elle me parlait
d'un meuble. C'était une douce musique.

Je demandai à Mme Dolguet si, lors de leur
« perquisition », les hommes qui l'avaient tant
effrayée avaient pu avoir l'occasion, au cours de leur
fouille, de tomber sur ces épaves. Elle me répondit
que, selon toutes probabilités, elles n'étaient pas
passées inaperçues de ces hommes. Je le croyais
aussi. Comme je croyais que Vivonnet et compagnie
ne s'en étaient pas autrement émus. De quelle utilité
pouvaient leur être des clés solitaires ? Si encore ils
avaient eu en vue deux ou trois serrures, offrant la
possibilité d'être les bonnes, sur lesquelles ils eussent
pu les essayer ! Comme ce n'était pas le cas...

Et voilà, justement, l'avantage que j'avais sur eux,
moi.

Au moins pour l'une de ces clés, je savais où tenter
l'expérience

*
* *

En sortant de chez Mme Dolguet, j'appelai les Buttes-Chaumont au téléphone. Instruit de ce que je voulais savoir, c'est-à-dire si la police y fouinait toujours (c'était le cas), je rejoignis Angela à Passy

Maintenant, il n'y avait plus qu'à attendre (en souhaitant ne pas avoir cafouillé dans mes raisonnements), qu'Olga Maîtrejean, l'actrice au grand cœur (selon les jours), et aux nerfs fragiles, rentre le plus rapidement possible de son week-end prolongé

Ce retour se produisit le lendemain dimanche. Je l'appris le lundi, vers neuf heures, en téléphonant à sa bignole. Je quittai Angela sans lui dire où j'allais et, un peu plus tard, un taxi me déposait devant le domicile de l'actrice.

Répondant à mon coup de sonnette, ce fut elle-même qui vint m'ouvrir, en traînant les pinceaux. Ses cheveux noirs, tirés sur les tempes, se terminaient en queue de cheval. Elle portait une jupe plissée et un pull montant. Elle n'était pas maquillée et des cernes ombraient ses yeux. Elle paraissait dix ans de plus que son âge. Inutile de sortir de Saint-Cyr, comme on dit, pour deviner qu'elle trimbalait ce coup de vieux depuis que Françoise Pellerin avait passé l'arme à gauche. A ma vue, ses yeux égarés et lointains s'animèrent et reflétèrent une lueur de panique.

— Oh ! mon Dieu ! vous ! s'exclama-t-elle.

Et elle eut un instinctif mouvement de recul J'en profitai pour entrer. Je refermai la porte sur moi

— Oui, c'est moi, dis-je. Vous ne m'attendiez pas, hein ?

— Si, justement, répliqua-t-elle dans un souffle. Il me semble même que je vous attends depuis toujours.

Elle reculait sans cesse. Le vestibule était tout petit. Nous débouchâmes bientôt dans un living luxueusement meublé.

— Depuis toujours, c'est peut-être exagéré, observai-je. Disons depuis que vous avez versé la mort à Françoise Pellerin.

Elle poussa un sourd gémissement et se laissa tomber sur une chaise, pauvre pantin brisé. De nouveau, ses yeux regardaient très loin.

— Comment tenez-vous encore le coup ? demandai-je, sincèrement apitoyé.

— Je ne le tiens plus, chuchota-t-elle.

— Vous pensiez vous constituer prisonnière ?

— J'ai pensé à autre chose, mais, jusqu'ici, le courage m'a manqué.

— Eh ! pas de blague... (Je m'approchai d'elle et lui tapotai l'épaule.) ... Vous suicider ne la ressusciterait pas. Et puis, quoi ! c'était un accident. On ne vous condamnera pas à mort.

— Oui, c'était un accident, dit-elle en se tassant davantage sur son siège. Mais personne ne le croira.

— Mais si. Puisque je l'ai deviné, d'autres devront bien le croire quand on leur expliquera.

— Un accident, répéta-t-elle. Comment... l'avez-vous deviné ?

— Comme ça. Vous n'avez pas l'air d'une meurtrière. Une véritable meurtrière n'inventerait pas une histoire de dette imaginaire pour venir en aide à la mère, qu'elle sait dans le besoin, de sa victime. Pourtant, vous avez tué. Donc, ce ne peut être que par accident, involontairement. D'autre part, il n'y avait aucune raison que la victime soit assassinée. Pourtant, elle est morte. Donc, c'était par accident.

— Personne ne le croira, répéta-t-elle.

— Si. J'y aiderai. Voyons... On va bavarder un petit peu, tous les deux. Ensuite, nous irons trouver les flics.

— Allons-y tout de suite. Autant en finir.

— Non. Bavardons d'abord. Voyons... Je crois

que tout vient de ce que vous détestiez Lydia Orzy et que vous avez voulu la démolir, hein ? Lorsque, d'une manière ou d'une autre, vous avez appris que son amant, Vivonnet, était un gangster plus ou moins retiré des affaires, vous vous êtes dit que si cela se savait, un scandale éclaterait dont elle ne se relèverait certainement pas. Exact ?

— Oui, fit-elle, les yeux mi-clos.

— Racontez-moi tout. Ça vous soulagera.

Docilement, d'une voix faible, terriblement lasse et lointaine, elle me fit le récit suivant, confirmant ce que je supposais.

Oui, pour nuire à Lydia, elle voulait « démasquer » Vivonnet. Mais, tout d'abord, elle n'avait su comment s'y prendre. Elle aurait peut-être pu faire passer des échos venimeux dans une certaine presse (c'était par un journaliste qu'elle avait appris que l'amant de sa rivale était ce qu'il était), ou envoyer une dénonciation anonyme à la police, mais aucune de ces « procédures » n'aurait eu le retentissement désiré. Peut-être, inconsciemment, hésitait-elle à risquer l'entreprise. D'autre part, la crainte des réactions de Vivonnet (un gangster, ça devait en avoir de vives !), s'il apprenait qu'elle était à l'origine de manœuvres dirigées contre lui, devait la freiner également. Bref, les choses seraient peut-être restées à l'état de projet si je ne m'étais pas, moi, Burma, signalé à l'attention générale avec cette fameuse affaire Mairingaud. Les journaux m'ayant dépeint comme le débusqueur numéro un des gangsters cachés, doublé d'un type dynamique enclin à s'occuper de ce qui ne le regardait pas, Olga s'était dit : « Voilà le gars rêvé. Si je le jette sur le chemin de Vivonnet, ça fera des étincelles, avec tout le retentissement voulu. » Au cas où j'aurais ignoré la qualité du zigue, elle se serait débrouillée pour me la faire connaître. Restait à attendre l'occasion et le moyen de me mettre en présence de Vivonnet. L'occase, ç'avait été la « dramatique » de Lucot. Comme Vivonnet accompagnait souvent Lydia au studio, Olga avait pensé que c'était le moment de me faire intervenir. Mais comment m'attirer rue Carducci sans entrer elle-même en scène, puisque aussi bien il n'était pas dans ses intentions de payer de sa personne, toujours par crainte de représailles possibles de la part de notre gangster retraité ? Tout simplement en utilisant l'ambition de la naïve speakerine. Elle avait persuadé celle-ci que ce serait une bonne opération pour elle qu'engager, sous prétexte de menaces de mort, un « privé » en qualité de gorille. La presse s'emparerait de l'affaire et il en résulterait un tintouin publicitaire formidable. L'autre conne avait marché. Seulement, d'entrée, il y avait eu un os. J'avais nettement déclaré à Françoise que j'avais compris qu'elle se foutait de moi. Et là-dessus, je l'avais laissée avec ses nerfs. Après mon départ, elle s'était empressée d'aller exposer à Olga quelle tournure prenaient les choses. L'entrevue entre les deux femmes, que personne ne semblait avoir remarquée, avait eu lieu dans la loge d'Olga, au cours d'un « trou » dans les répétitions. Françoise était surexcitée, hostile. Elle avait accusé Olga de l'avoir entraînée dans une combine d'où elle risquait de sortir ridiculisée. Il paraît qu'elle avait ajouté, bizarrement : « Qu'est-ce qu'il y a, derrière tout ça ? » (Certains de mes propos avaient dû lui donner à réfléchir.) Evidemment, Olga ne pouvait pas le lui dire. Le scénario ne se déroulait pas comme prévu. « En tout cas, avait continué Françoise, moi, j'abandonne. J'expliquerai à ce détective que c'est toi qui as tout manigancé. » Et c'est là qu'Olga avait vraiment perdu les pédales.

— ... Je me suis affolée. Je n'ai vu qu'une chose . un scandale, mais pas celui que je désirais, allait éclater, m'éclaboussant, et Vivonnet, dont je craignais la colère, comprendrait que cette comédie avait été montée contre lui et saurait par qui. Alors, pour gagner du temps, espérant l'employer à trouver une parade, ne réfléchissant pas que le mieux était de venir tout vous avouer et limiter les dégâts, j'ai entrepris de calmer Françoise. Elle a convenu elle-même qu'un peu de repos ne lui ferait pas de mal. Je lui ai proposé un sédatif. Je ne lui ai pas dit que c'était un somnifère. Vous comprenez, elle ne l'aurait peut-être pas pris et je voulais qu'elle dorme. J'espérais que, ensuite, apaisée, elle abandonnerait son idée de vous révéler la supercherie. Enfin, je ne sais pas... Bref, elle a accepté la drogue que je lui offrais. Elle est allée s'étendre dans le petit cabinet de repos voisin des loges, et c'est là que je lui ai préparé le... Mon Dieu !... (Elle se prit la tête entre les mains et exhala un gémissement d'animal blessé. Une de ses jambes tremblait mécaniquement.) ... J'étais aussi énervée qu'elle, inquiète, je ne savais plus ce que je faisais...

— Oui, dis-je. Et votre main a tremblé. Il est tombé dans le verre beaucoup plus de gouttes qu'il n'en fallait pour simplement apaiser ou faire dormir quelques heures... Vous l'avez vue mourir ?

— Quelle horreur ! Grands Dieux, non ! Lorsque je l'ai quittée, elle ne s'était pas encore endormie.

— Et lorsqu'elle s'est endormie, ç'a été pour toujours. Elle est passée du sommeil à la mort sans s'en apercevoir. Lorsque vous avez appris le drame, vous déteniez toujours le flacon de somnifère, n'est-ce pas ?... (Elle inclina affirmativement la tête.) ... Votre première réaction a été alors une réaction criminelle. Instinctivement, vous avez essayé de vous sauvegarder. Ce que vous avez fait ne rimait à rien de logique, mais vous l'avez fait. Une grande agitation régnait dans les studios. La police n'était pas encore sur les lieux. Sans être vue, vous êtes allée glisser le fameux flacon, préalablement débarrassé de toute empreinte, dans le sac de votre victime... (Nouveau signe de tête.) ... Ensuite... eh bien, ensuite, vos nerfs vous ont joué des tours, les remords vous ont assaillie, et, sans avoir le courage de vous constituer prisonnière, vous avez essayé de vous... comment dire ?... racheter. Apprenant que Mme Pellerin était dans le besoin, vous avez prétexté une dette contractée envers sa fille pour lui remettre de l'argent. Ce geste-là non plus ne rimait pas à grand-chose. On pourrait même le juger insultant, mais je ne crois pas que ce soit sous cet angle qu'il faille le voir. En tout cas, ça m'a paru bizarre, à moi. Si, depuis, je me suis renseigné, j'ignorais, à ce moment-là, le montant de vos émoluments respectifs à la R.T.F., mais il me semblait toutefois que, de Françoise et de vous, ce devait être vous la plus argentée. Je ne me trompais d'ailleurs pas. Il était donc improbable que la speakerine vous eût jamais prêté un radis. J'ai d'abord interprété votre acte comme une façon élégante de faire la charité, mais ensuite j'ai réfléchi. Et quelques détails, glanés de-ci, de-là, ajoutés à mes réflexions, ont fait que me voilà chez vous, ce matin...

Par la fenêtre, un gai rayon de soleil vint frapper sa chevelure, lui arrachant des reflets bleus. Un gai rayon ! Ah ! misère ! Je posai ma main sur l'épaule de l'actrice.

— Passez un manteau. On va aller trouver les flics, maintenant. Mais, si vous m'en croyez, vous ne leur ferez pas la même confession qu'à moi. Du moins pour le moment. Ne parlez pas de Vivonnet. Ne parlez pas de Lydia non plus ni de la rivalité qui vous oppose. De toute façon, votre collègue ne perd rien pour attendre. Elle est innocente, mais le scandale que vous désiriez éclatera, ce n'est qu'une question de jours, et l'atteindra.

— Oh ! ça m'est égal, maintenant. Je n'ai déjà fait que trop de mal.

— Eh bien, si vous ne voulez pas en faire davantage, ne parlez pas de Vivonnet. Ce serait trop long à vous expliquer, mais croyez-moi sur parole. Contentez-vous de dire qu'en faisant prendre un somnifère à Françoise, vous avez involontairement forcé sur la dose.

Là-dessus, je saisis le téléphone et appelai la P.J.

*
* *

Assis à son bureau, le commissaire Faroux relisait pour la centième fois au moins la déposition d'Olga Maîtrejean.

— Ces gonzesses ! grogna-t-il. En voilà une qui monte le bourrichon à une autre jusqu'à ce que celle-ci vous embauche sous des prétextes mensongers, histoire de se faire de la publicité. Comme, ensuite, vous dégonflez la postiche, elles s'engueulent et le brillant cerveau qui a organisé tout ça ne trouve rien de mieux que d'administrer à sa copine un somnifère qu'elle ne sait même pas doser ! On aura tout vu !

Car c'était ainsi qu'en fin de compte Olga avait présenté l'enfant. A ma grande satisfaction, elle l'avait bouclée sur Vivonnet. (Ce qui était très important pour moi ; je ne tenais pas à ce que les flics aillent renifler le mec de trop près.) Chance inespérée et supplémentaire, après avoir dicté cette déposition, ses nerfs l'avaient de nouveau lâchée. Maintenant, elle était à l'Hôtel-Dieu pour au moins deux jours. Il ne devait pas m'en falloir davantage pour mener certaine tâche à bien.

— Quel truc tordu ! poursuivit Faroux. C'est pas croyable ! J'espère qu'elle n'est pas encore plus cinglée qu'elle n'en donne l'impression et qu'elle ne s'accuse pas pour le plaisir... Enfin... merci du coup de main, Burma.

— Pas de quoi. Vous l'auriez épinglée tôt ou tard. A force de vérifications et de recoupements... Je ne vous ai fait gagner que quelques jours.

Je sortis de la P.J. plutôt pensif. Faroux ne m'avait pas parlé de l'enquête concernant Frédéric Jean. Il ne m'avait non plus rien dit de la surveillance à laquelle il m'avait soumis... et me soumettrait peut-être encore. Il ne m'avait fait aucun reproche pour avoir semé Bouffe-tout-cru. Ça ne me plaisait pas. Faroux se méfiait. Je ne lui avais livré Olga qu'en espérant que, par contrecoup, le champ redeviendrait libre aux Buttes, mais d'ici qu'il s'imagine que tout ça c'était du bluff et que l'actrice s'accusait bidon, il n'y avait pas des kilomètres. Cette perspective manquait de gaieté. Néanmoins, je fis comme si tout devait se dérouler le plus favorablement du monde.

D'un bistrot, j'appelai Angela et lui dis, sans plus d'explications, que j'étais obligé de m'absenter pendant quelques jours. A mon retour, il y aurait peut-être du nouveau.

Je ralliai ensuite mon bureau, mis Hélène au courant des derniers événements et lui passai la consigne : jusqu'à nouvel ordre, je n'y étais pour personne.

Enfin, je repris ma propre bagnole et comme, encore une fois, il n'y avait qu'à poireauter, je m'en fus respirer l'air de la cambrousse, décidé à m'en remplir les poumons tout le temps qu'il faudrait

*
* *

Rayon Faroux, j'avais eu tort de me biler. Qu'il ait cru ou non en la sincérité des aveux d'Olga, le commissaire ne pouvait pas, à partir d'eux, ne pas procéder à des vérifications rue Carducci. Cette fois, ses hommes savaient dans quel sens orienter leurs recherches et quelles sortes de questions poser. Ils se convainquirent rapidement que l'actrice avait dit vrai. Résultat : si le lundi après-midi et le mardi on ne vit jamais autant de flics aux studios des Buttes, le mercredi il n'en resta plus un.

A moi de jouer.

Je rentrai à Paris.

C'est avec un petit pincement de cœur que, dans l'après-midi de ce mercredi, je franchis la porte de la TV. Je passai avec une telle assurance devant le cerbère qu'il n'osa pas me demander où j'allais. J'enfilai le long couloir froid et sonore, traversai une cour encombrée et parvins au pied de bâtiments vétustes ne paraissant qu'être un décor branlant appuyé contre les constructions toutes neuves. Le serviable Jacques Mortier, mis une dernière fois à contribution, m'avait fourni toutes sortes d'indications topographiques. J'escaladai des escaliers plus ou moins praticables et débouchai enfin, au cœur d'une zone condamnée et interdite, sur le couloir qui avait été fatal à Dolguet. Au bout du couloir, j'aperçus la lourde qui donnait sur un des magasins aux accessoires.

Lorsque la fumée d'abord et les flammes ensuite avaient eu raison de lui, c'était vers cette porte, dans ce couloir où rien, apparemment, ne l'appelait, que se dirigeait l'amant de la speakerine. Pourquoi ? Si la plus grosse des deux clés ramenées de chez Mme Dolguet ouvrait cette porte, j'aurais la réponse.

Le cœur battant, je l'introduisis dans la serrure. Ça grinça un peu, il me fallut exercer une pression assez forte, mais finalement le mécanisme fonctionna. Mon cœur sauta comme un cabri. Maintenant, aucun doute : Dolguet avait caché les bijoux de Mme Alderton dans ce magasin désaffecté, et c'est en courant sauver le magot de l'incendie qu'il avait trouvé la mort.

Je poussai l'huis et me glissai dans la pièce obscure, au puissant remugle de poussière et d'abandon. Je tournai un commutateur. Quelque part, dans un angle, une ampoule anémique s'alluma, éclairant de sa lueur chiche le plus extraordinaire entassement de meubles de tout genre et de tout style, et en plus ou moins bon état. L'autre clé que je possédais, la petite, devait logiquement convenir à l'un d'eux, mais lequel ? Effectuer des recherches dans ce capharnaüm était impossible.

Le découragement m'envahissait, lorsque la vue de trois buffets Henri II, émergeant du lot, me remirent en mémoire certains propos de Mme Dolguet. « Henri et toi, ça fait deux », avait-elle dit un jour à son mari, ce qui avait provoqué la colère de celui-ci avant de le faire rire comme un fou. Est-ce que, par hasard... Mon ciboulot se mit à travailler. Si Dolguet avait caché les bijoux dans un de ces buffets, la réflexion de sa femme avait pu lui faire croire à une allusion à son secret, et cela l'avait rendu furieux. Toutefois, réalisant rapidement que ce n'était pas possible, le rapprochement entre les paroles de sa femme et l'endroit où le butin attendait qu'on puisse le monnayer sans danger, l'oubli s'étant fait sur le vol, l'avait amusé. Oui, Henri (son copain producteur de TV) et lui, ça faisait deux, et grâce au buffet Henri de même numéro, justement. Il avait goûté tout l'humour de l'involontaire plaisanterie de son épouse. Un petit marrant, ce Dolguet. Maintenant, j'en étais aussi peut-être un, moi-même. Il se pouvait que je sois victime du délire d'interprétation. Avec tout ce qu'avait dégusté ma tête, ces derniers temps ! Mais il n'en coûtait rien de vérifier, les fameux buffets étant d'accès relativement facile. C'était d'ailleurs ce que j'entreprenais sans plus attendre, tout en ruminant ainsi.

Je déplaçai quelques fauteuils, une tonne de poussière, dont j'avalai une partie, et atteignis mon premier objectif. Sa porte béait et il était vide. Un peu de reptation sous une table m'amena au second buffet. De celui-ci, la porte était fermée et, semblait-il, à clé. Est-ce que celle de la breloque... Le déclic qui se produisit me fit l'effet d'une bombe. La table, serrée contre le buffet, empêchait d'ouvrir la porte en grand, mais l'entrebâillement obtenu était suffisant pour qu'en me tortillant je passe le bras à l'intérieur. Je fourgonnai là-dedans... Enfin, mes doigts rencontrèrent quelque chose qui me parut sérieux : un porte-documents rebondi, dur au toucher. Accroupi sous la table, devant le buffet, dans une position incommode, j'ouvris ma trouvaille.

Les bijoux étaient là !

*
* *

Je quittai les bâtiments de la TV sans anicroche. Je déposai mon butin sur le siège de ma bagnole et démarrai. Je roulai au hasard, pilotant machinalement. J'avais besoin de prendre l'air et d'ordonner mes pensées. Le temps passa. Lorsque je m'avisai de consulter ma montre, je constatai que si je voulais en finir, il fallait peut-être que je me dépêche. Je m'assurai que personne ne me suivait (à un moment, j'avais cru que c'était le cas) et pris, en décrivant pas

mal de détours, la direction de la rue Bleue. Je
stoppai devant la bijouterie d'un de mes amis, un
nommé Salomon. Il n'était pas là. J'attendis et du
temps passa encore. Enfin, vers vingt heures, Salomon s'amena, précédé de sa barbe de sage. J'exhibai
deux clips éblouissants.

— Beau travail, opina Salomon, après un bref
regard aux objets. Où les avez-vous volés ?

— Disons que ça représente une petite commis-
sion. Vous pouvez me les estimer ?

— Pas tout de suite. Ça ne se fait pas comme ça.
En outre, j'ai un travail pressé à terminer, et j'ai déjà
été dérangé. Vous ne pouvez pas attendre jusqu'à
demain ?

Va pour demain. Je n'étais pas à un jour près.

Vers dix heures, je rentrai chez moi. Comme ça
faisait une paye que je n'avais pas mis les pieds à mon
domicile, on pouvait croire que je l'avais abandonné,
et c'était encore là que je serais le plus tranquille. Je
me trompais. Au moment où j'ouvrais la porte de
l'immeuble, des pas précipités retentirent derrière
moi. Je me retournai vivement. Angela !

— Bonsoir, dit-elle. Je vous ai fait peur ?

— Qu'est-ce que vous foutez là ?

— Oh ! là là ! ce que vous êtes grognon !

— Je n'aime pas qu'on m'espionne.

— Je ne vous espionnais pas. Je... Oh ! et puis,
zut ! Oui, là ! Depuis votre coup de fil de lundi, je
monte pour ainsi dire la garde devant chez vous.
C'est idiot, parce que je ne peux tout de même pas
rester plantée là en permanence vingt-quatre heures
sur vingt-quatre, mais c'est comme ça. Vous savez,
j'ai bien compris que vous étiez sur une piste
sérieuse. J'ai pensé que, tôt ou tard, vous rentreriez
chez vous. Alors...

— Vous n'avez pas confiance en ma parole ? Je vous ai pourtant promis de vous tenir au courant.

— Oui, bien sûr, je... Qu'est-ce que vous serrez sous le bras ?

— Les bijoux, justement.

Ça lui coupa le sifflet.

— Les..., parvint-elle quand même à articuler, après une longue aspiration. Mon Dieu !... (Ses doigts se crispèrent sur ma main.) ... Ce n'est pas vrai. Vous me faites marcher.

— Montez. Vous verrez bien.

Elle gravit l'escalier en se cramponnant à la rampe. Ses jambes flageolaient. Un peu plus tard, chez moi, il n'y eut pas que ses jambes qui tremblotaient. Debout devant les bijoux répandus en vrac sur la table, tout son corps agité d'un long frémissement, elle n'arrêtait pas de chuchoter : « Mon Dieu ! », sans oser toucher au trésor. Ses doigts trituraient convulsivement son sac à main.

— Alors ? demandai-je. Ce sont bien les colifichets de votre bienfaitrice ?

— Oh ! oui... oui... (Elle se raidit en un violent effort pour reprendre son sang-froid.) ... Mon Dieu !

Il faisait bougrement chaud, dans cette pièce, qui puait aussi légèrement le renfermé. J'ôtai mon veston et le balançai sur un siège. Puis, comme je m'approchais de la fenêtre dans l'intention de l'ouvrir sur la fraîcheur nocturne, le téléphone sonna. Je décrochai.

— Ici, Salomon, dit mon copain le bijoutier juif. Dites donc, Burma, j'ai terminé plus tôt que prévu mon petit travail urgent, alors j'en ai profité pour examiner votre marchandise. Beau boulot, artistique et tout, mais c'est du toc. Vous avez été possédé.

— Non, pas moi. Je me gourais d'un truc de ce genre. Bonne nuit.

Je raccrochai. J'entendis alors l'angélique Angela articuler :

— Mettez les mains en l'air !

J'obéis. Elle braquait sur moi mon propre pétard pêché dans mon veston. Je la regardai avec lassitude, sans rien dire. Nous restâmes ainsi un siècle. Une pétrolette passa dans la rue en pétaradant. Sous la lumière, les bijoux étincelaient, me rappelant ces charognes d'animaux qu'on découvre parfois, à la campagne, le long d'un sentier, toutes miroitantes de mouches actives et colorées.

CHAPITRE XI

LE DERNIER MORT

— Ah ! nous y voilà ! dis-je enfin. Je m'attendais à quelque chose de ce genre, mais je ne pensais pas qu'un soufflant serait de la partie. Il est vrai que c'est le mien.

— Si vous entendez par-là que je n'ai rien prémédité, vous vous trompez, dit Angela. J'ai un autre revolver dans mon sac. Mais autant utiliser le vôtre. Il m'a l'air plus efficace.

— Bien sûr. Quant à la préméditation, je sais foutre bien qu'elle existe. Est-ce que, depuis que, par mon coup de fil à Cannes, je vous ai mis la puce à l'oreille, vous ne me collez pas au train dans l'attente de cet instant ? Oh ! je sais... Vous me direz que je vous ai facilité la tâche en venant loger chez vous. Peut-être. Mais c'est aussi en vivant près de vous que j'ai pu constater avec quel intérêt suspect vous suiviez mes démarches. Tout se passait comme si vous vouliez être présente, lors du « débusquage » du magot. Et pourquoi ça ? Pour vous interposer entre lui et moi, sans doute. Eh bien ! ce moment est venu !... Alors, comme ça, vous aussi vous convoitez ces bijoux, hein ? L'emmerdant, c'est qu'ils sont faux. En tout cas, les deux échantillons que j'ai fait expertiser le sont. En conséquence, ce tas l'est aussi.

— Non, fit-elle sans excessive conviction.

— Si. Et vous le savez.

— Peu importe. Faux ou non, je les veux.

— Pourquoi?

— Pour rien.

— Pour rien. Laissez-moi rigoler. Je vais vous dire pourquoi, moi. Pour que je ne les remette pas à la compagnie d'assurances. Parce que, finalement, vous ne vous interposez pas entre cette camelote et mézigue, mais entre cette camelote et la compagnie d'assurances. Et pourquoi? Parce que vous n'êtes pas une vulgaire faucheuse désireuse de s'approprier le bien d'autrui, mais quelqu'un qui veut préserver la réputation de sa bienfaitrice, réputation qui en prendrait un sérieux coup (sans préjudice des suites judiciaires), si on apprenait que Mme Alderton a escroqué la *Reliance*. Car c'est de ça qu'il s'agit. Il y a deux ans, aux *Quatre Pins,* il n'y a jamais eu de vol, du moins dans le sens qu'on a dit, mais une comédie montée par Mme Alderton et à laquelle s'est prêté le dévoué Dubaille, dont vous n'avez pu vous empêcher de me dire que c'était un chic type. Oui, ça devait être un chic type. Il savait bien que, une fois le « vol » connu, il serait sur la sellette, avec devant lui une rude partie à jouer, mais il s'est sacrifié. Et plus qu'il n'était prévu au programme même, puisqu'il est tombé sous les coups de Dolguet et compagnie. Comédie! Tragédie! Escroquerie! C'est parce que j'ai flairé quelque chose de ce genre que j'ai fait expertiser deux pièces de cette quincaillerie, dès que je l'ai eu récupérée. Et voilà! Je ne peux pas baisser les bras?

— Si vous voulez.

— Merci. (Je baissai les bras.) Et maintenant, qu'allez-vous faire?

— Mme Alderton m'a tirée du ruisseau, dit-elle,

d'une voix sourde. Je lui dois tout. Sans elle, j'aurais fini dans la peau d'une putain. Je ne veux pas qu'elle soit salie. Je ne le permettrai pas. Je me suis juré de ne pas le permettre. Que m'importe la morale, à moi, et les profits et pertes des compagnies d'assurances ? Alors, je vais vous demander d'oublier tout de cette affaire, de faire comme si nous ne nous étions jamais rencontrés, et de me laisser emporter cette pacotille.

— Et si je refuse ? Vous me tirez dans le chou ? fanfaronnai-je, en m'apprêtant à plonger sous la table, car, ça, c'est le genre de vanne qui déclenche parfois le feu d'artifice.

Mais le flingue, qui devait commencer à lui peser au poing, et dont le canon n'était plus aussi perpendiculairement braqué que précédemment, ne prit pas d'orientation plus menaçante. Et Angela me regarda comme si elle me voyait pour la première fois ; un nuage étrange obscurcit ses yeux noisette ; une immense douleur se peignit sur son joli visage ; elle secoua tristement la tête et balbutia :

— Je... non, je ne crois pas...

Brusquement, sur un « NON » lancé comme un cri sauvage, elle volta, sans lâcher le revolver (avait-elle seulement conscience de son existence), et se jeta dans un fauteuil en sanglotant désespérément, la figure enfouie au creux du bras replié.

Je laissai s'écouler quelques secondes et m'approchai. Elle eut un soubresaut et m'agrippa par mon devant de chemise, ses ongles labourant l'étoffe. Le pétard avait disparu. Peut-être était-elle assise dessus. Je verrais ça plus tard.

— J'ai perdu, gémit-elle. Au dernier moment, je... Oh ! je vous en supplie... je vous en supplie...

— Tirer n'aurait pas arrangé le cas de Mme Alderton, dis-je. (J'avais vraiment l'air de m'excuser. Pour un peu, je lui aurais demandé d'essayer de m'envoyer

un pruneau, s'il n'y avait que ça pour la consoler.)
Allons, calmez-vous. (Je détachai ses doigts de ma
liquette.) On trouvera un joint, pour ces bijoux.

— Je les déteste, hoqueta-t-elle, pelotonnée dans
le fauteuil, au coussin en pagaille. Et vous aussi, je
vous déteste.

Elle bafouilla encore une kyrielle de mots indis-
tincts, et puis elle se contenta de chialer doucement,
comme une bouteille qui se vide. Je restai debout
devant elle, perplexe. Ses larmes coulaient sans
bruit, moi je la bouclais et le silence enveloppait la
maison.

C'est alors que je crus entendre remuer dans le
vestibule.

Je n'eus pas le loisir d'aller voir de quoi il
retournait. La porte de communication s'ouvrit à
toute volée et, pour la deuxième fois de la soirée, un
amateur de gymnastique suédoise m'ordonna de
mettre les mains en l'air. J'avais dû mal refermer la
lourde de ma crèche, tout à l'heure, ou, plus vraisemblablement, le nouveau venu savait enjôler une
serrure.

Ce nouveau venu, c'était Vivonnet, le Zitrone en
carton-pâte, mais sans carton-pâte, et le bras prolongé d'un Mauser dernier cri (celui que l'engin fait
pousser). Il se planta tout d'abord dans l'embrasure
de la porte, sifflota admirativement en apercevant les
bijoux étalés sur la table, puis, lourd et massif, fit un
pas en avant. Il était seul, comme un grand qui sort
avec la bonniche des voisins.

— On dirait que j'interromps une scène de
ménage, ricana-t-il avec une narquoise sollicitude.
Excusez-moi. Allez, Burma, fous-toi au piquet, là-
bas, et ne bouge pas.

J'obéis. Que faire d'autre? Merde pour l'hé-
roïsme. Je n'éprouve pas une volupté particulière, si

j'ose dire, à baisser mon froc, mais il y a des fois où on ne peut faire autrement. Evidemment, je ne présente pas ça comme une victoire. Pour en revenir à Vivonnet, il poursuivit, s'adressant à Angela :

— Quant à toi, la souris éplorée, reste peinarde où tu es, et n'essaye pas de m'attendrir en exhibant tes cuisses. Tu me diras plus tard pourquoi tu as du chagrin. Je... oh! oh! j'aime pas besef les sacs à main. On sait jamais ce qu'ils peuvent contenir... (Il bondit, rafla le sac qu'Angela avait déposé sur le coin de la table et l'expédia hors de portée. Un homme de précautions, M. Vivonnet. Un fortiche. De quoi se marrer!) Eh bien! continua-t-il, en désignant les bijoux d'un mouvement de menton, eh bien! dis donc, Burma, ma première idée était la bonne, hein ? T'avais des tuyaux sur le magot. A moins que ça soit pas les bijoux Alderton, mais ça m'étonnerait.

— Ce sont les bijoux Alderton, dis-je, du fond de mon assignation à résidence.

— Dis donc, ça brille, hein ? Nom de Dieu! ce que ça brille !

— Oui, comme des lanternes sur des démolitions. Démolitions de vie, d'illusions, de tranquillité.

— Que... (Il ouvrit des yeux ronds.) ... Quoi ?... Oh! ça va, ricana-t-il. Arrête un peu. Garde ces conneries pour les dialoguistes de la TV.

— J'en ai marre, de la TV. Je voulais simplement dire qu'il y a un os. On s'est tous décarcassés pour lap. Ces bijoux sont aussi faux que l'amour que te porte Lydia Orzy.

— Quoi ?

Il fonça dessus, mais stoppa pile dans la seconde, comme un qui vient tout juste de réaliser qu'il donne dans un piège. Il fronça les sourcils. Son pétard parut en faire autant. Il éclata d'un rire bref.

— Mais bien sûr, qu'ils sont faux ! Tu parles !
Seulement, faux ou non, je vais les embarquer.

— Et ainsi, tu pourras t'installer marchand forain
sur tes vieux jours. Tu as déjà la marchandise de
base. Il te suffira de louer une tire de quatre-saisons
et d'acheter un sac de sciure.

— C'est ça ! c'est ça ! Chante, t'auras une cage !
Ecoute, Burma. Tu perds ton temps à vouloir me
baratiner. D'ailleurs, si c'est du toc, tout ça, je le
saurai bientôt. Et si c'est du toc, t'en fais pas pour
mézigue. J'aurai mieux à faire que de le bazarder
dans la sciure, pour en tirer un peu de fric. J'irai
trouver cette grognasse, cette Mme Alderton, et...

Alors plusieurs choses se passèrent à la fois.
J'entendis Angela hurler un « NON » que j'ai encore
dans les oreilles, cependant que crépitaient des
détonations. Je vis Vivonnet sursauter comme si on
lui avait enfoncé quelque chose dans le valseur, mais,
en réalité, c'était entre les épaules qu'il l'avait pris.
Le pétard qu'il tenait aboya à son tour et j'aurais
stoppé le pruneau si je ne m'étais pas, dans le quart
de seconde précédent, plaqué au sol, à l'abri d'un
meuble.

Vivonnet volta, fit face à Angela qui tira encore. Il
tira, lui aussi, mais ce n'était plus tout à fait lui, ce
devait être son index, en un dernier spasme d'agonie.
Il s'écroula en heurtant la table. Sous le choc, un
collier glissa du tas de ces infernaux colifichets et
tomba sur sa poitrine.

Je me mis debout.

Il me sembla qu'on se canardait encore, mais dans
le lointain, cette fois. A moins que ce ne fût le
persistant écho des détonations. Je tendis l'oreille.
La pétarade s'estompait dans la nuit. C'était encore
une de ces bruyantes pétrolettes, qui avait dû passer
sous les fenêtres, à l'instant précis du flingage mai-

son. Je poussai un soupir de soulagement et regardai Angela.

Debout, échevelée, raidie, les yeux horrifiés, elle ouvrait une bouche immense d'où un hurlement hystérique n'allait pas tarder à fuser Je me précipitai, la renversai dans le fauteuil, la giflai et la bâillonnai de la main. Le cri passa à travers mes doigts, sous lesquels je sentis ensuite trembler les mâchoires, et puis les sanglots et les larmes revinrent Un bruit sourd, c'était le revolver qu'elle lâchait enfin et qui tombait sur le parquet. Je la soulevai, l'emportai dans la salle de bains, la déshabillai en partie et la maintins sous la douche. Peu à peu, elle s'apaisa. Je l'enveloppai dans une robe de chambre, lui administrai un sédatif et l'allongeai sur mon plumard.

Je retournai dans le stand de tir.

J'attrapai le téléphone et appelai Hélène. Je lui dis que j'avais besoin d'elle comme infirmière-garde-malade. Elle me répondit qu'elle rappliquait.

Je raccrochai, ramassai mon revolver, l'essuyai soigneusement pour effacer les empreintes d'Angela et le décorai ensuite abondamment des miennes. Je le déposai sur la table et me penchai sur Vivonnet

Apparemment, il avait dégusté autant de projectiles par-devant que par-derrière. Deux sur chaque face, à vue de nez. Très bien. J'essayai de déterminer combien il en avait tiré lui-même, et j'obtins un total de trois. Une balle dans un meuble, la seconde dans un mur et la troisième au bas d'une plinthe. Cette disposition des points d'impact, c'était moins bien, mais il faudrait qu'on s'en contente. En ayant terminé avec les armes à feu, je refourrai les bijoux dans le porte-documents et allai prendre des nouvelles d'Angela. Elle ne dormait pas ; elle était hébétée Nos regards se croisèrent, mais nous ne dîmes rien

Un peu plus tard, Hélène arriva enfin. Je la mis rapidement au courant, puis :

— Vous allez reconduire cette fille chez elle, rue de l'Alboni. Faites-lui avaler un somnifère et restez à son chevet tout le temps qu'il faudra. Plusieurs jours si c'est nécessaire. Embarquez ces saloperies de bijoux aussi. Il ne faut pas qu'on les trouve ici. Planquez-les quelque part.

Elle repartit en compagnie d'Angela, toujours muette.

J'allumai une pipe, m'installai auprès du téléphone et attendis. D'où j'étais, je voyais Vivonnet, mais lui ne me voyait pas.

Vivonnet, le con fini ! Il aurait pas dû parler d'aller empoisonner l'existence de Mme Alderton, Vivonnet ; il n'aurait pas dû vouloir emporter les bijoux ; il n'aurait jamais dû s'occuper de ça. Nous étions des tas qui aurions mieux fait de nous intéresser à autre chose. Enfin… Et Angela, qui n'aurait pas tiré sur moi, avait tiré sur Vivonnet. Comme supposé, elle devait être assise sur mon pétard, quand le truand s'était annoncé…

Le téléphone sonna.

— C'est moi, dit Hélène. Tout va bien. Elle dort déjà.

— Parfait. Bonne nuit à vous deux.

Quelques secondes plus tard, je composai le numéro personnel du commissaire Faroux.

— Ici, Nestor Burma, dis-je. Y a-t-il encore une place à la morgue ?

La journée du lendemain, je la passai tout entière à la Tour Pointue, à débiter mon petit boniment à une armée de flics. Voyez-vous, messieurs-dames, j'étais tranquillement chez moi, à fumer la pipe, lorsque ce mec, inconnu au bataillon, a surgi en brandissant une pétoire. Tout s'est déroulé tellement vite que je ne peux plus, maintenant, préciser qui a ouvert le feu, mais... enfin... euh... quoi...

— Ecoutez, papa, me dit Faroux, en fin d'après-midi, on ne va pas chialer sur ce Vivonnet, hein ? Il ne valait pas la corde pour le pendre. Quand même, j'ai l'impression, d'après l'examen des traces de balles, que vous l'avez un peu pris de court. Mais, évidemment, s'il est entré comme ça, avec un flingue... Bon. Autre chose. Ou plutôt, suite. Cette autre tordue d'Olga Maîtrejean a complété sa déposition de lundi. Il paraît qu'elle avait poussé la speakerine à vous embaucher pour que votre présence flanque la trouille à Vivonnet qui se trouvait être l'amant d'une autre actrice dont elle est jalouse. Enfin, quelque chose de ce tonneau, façon famille tuyau de poêle. Mais elle-même avait les jetons de Vivonnet et...

Il me décortiqua le mécanisme, bien connu de moi, qui avait abouti à la mort de la malheureuse Françoise.

— Eh bien ! dis-je. Tout est clair, non ? Ce Vivonnet, ayant eu vent de ces entourloupes, venait m'intimider.

— Ouais, ouais, grogna le commissaire. La seule chose vraiment claire, c'est que ce Vivonnet ne valait pas, je le répète, la corde pour le pendre. Et la corde de pendu, ça porte chance. Vous en bénéficiez, mais n'en abusez quand même pas.

— Compris, dis-je. J'essayerai de ne pas trop tirer sur cette fameuse corde.

— Je vous le conseille. Et maintenant, foutez-moi le camp !

*
**

Rue de l'Alboni, ce fut Hélène qui m'ouvrit la porte.

— Liberté provisoire? demanda-t-elle.

— Presque. Faroux n'est pas dupe. Il subodore du louche. Mais entre Vivonnet et moi, son choix est fait. Comment va la môme?

— Elle dort. J'ai fait venir votre ami le toubib. Rien de grave. Ebranlement nerveux. Demain, elle devrait être sur pied. Et maintenant, si vous me mettiez complètement au courant? Après tout, je suis votre secrétaire.

Nous nous installâmes dans la chambre que j'avais occupée pendant quelques jours et je complétai l'instruction d'Hélène.

— Comment en êtes-vous venu à soupçonner l'escroquerie à l'assurance? demanda-t-elle ensuite.

— Toujours les détails infimes, que je n'ai étudiés, d'ailleurs, qu'après qu'Angela ait pris contact avec nous. A la lumière de son insistance suspecte à vouloir suivre de trop près mes diverses démarches, ces détails infimes ont pris de l'importance. Ils n'étaient pas nombreux, ces détails. Deux, tout juste. Premier détail : Dubaille. Ce personnage, hôte privilégié des *Quatre Pins,* n'avait aucun intérêt à commettre un pareil vol. Deuxième détail : la nervosité de Mme Alderton, au cours de la soirée mondaine.

— Vous y assistiez?

— Et le film qu'a tourné ce Marcel, de la Télé? La mère Alderton, dont le parfait équilibre est notoire, manifestait sur ces images une étrange nervosité. Celle-ci eût été compréhensible le lendemain du vol, mais pas la veille Ah! il y avait aussi un passage où Dubaille paraissait être en train de tranquilliser sa maîtresse Je me suis dit que cette chère dame était peut-être nerveuse parce qu'elle savait qu'il allait se passer quelque chose de grave, quelque chose de risqué. Bref, je me suis demandé s'ils n'étaient pas de mèche, tous les deux. Si, en un mot, le vol n'avait pas été organisé par la victime elle-même Partant de là, je me suis posé la question suivante : dans quel but le possesseur de bijoux se les fait-il faucher ? Réponse soit pour se faire de la publicité, soit pour en tirer du pognon. La deuxième réponse devait être la bonne Mais alors… si on a besoin de fric, pourquoi ne pas fourguer tout simplement une partie de ces bijoux ?

— Oui, en effet.

— Mais tout bonnement, Hélène, parce que ces bijoux ne sont plus monnayables, et ils ne sont plus monnayables parce qu'ils ont déjà été monnayés, secrètement, et qu'on n'en possède que des répliques… Tout cela, évidemment, n'était que supposition, mais je m'étais bien promis, si jamais je mettais la main sur les bijoux planqués par Dolguet, d'en faire expertiser quelques-uns. S'ils étaient de bon aloi, il y avait vraiment eu vol, et Angela n'était là que pour essayer de s'approprier le magot à son tour Faux, ils apportaient la preuve de l'escroquerie, et Angela était là pour m'empêcher de remettre le corps du litige à l'assurance. Ce qu'elle a tenté de faire, d'ailleurs, mais bien pauvrement. Enfin ! Elle m'a menacé de mon propre pétard, mais je ne lui en veux pas. Voyez-vous, petit chat, quel que soit le jugement que l'on puisse porter sur la mère Alderton, j'aime mieux que ce soit par dévouement envers elle qu'Angela ait agi comme elle a agi J'ai rencontré suffisamment de salauds comme ça, au cours de cette aventure.

— A propos… Et Vivonnet ? Par quel hasard a-t-il fait irruption chez vous, comme ça, au bon moment ? Enfin. bon, façon de parler, bien sûr !

— Persuadé que je savais beaucoup de choses et que je le conduirais tôt ou tard au magot, il a dû me flanquer quelqu'un au train. Après mon départ des Buttes, mercredi, il m'avait semblé être suivi. Avant d'aller chez Salomon, je me suis débrouillé pour... embrouiller mes filocheurs, si j'en avais, et j'ai dû les semer sans le faire exprès, pour ainsi dire. Mais les gars m'avaient vu sortir de la TV avec une serviette que je n'avais pas en entrant. Ils ont dû communiquer ce détail assez tard à Vivonnet qui, aussitôt et à tout hasard, a sauté chez moi.

Sauté était le mot.

*
* *

Le lendemain, Angela alla beaucoup mieux, et le jour d'après elle était complètement rétablie. Toutefois, pour des raisons de sécurité, Hélène remplissait toujours ses fonctions d'infirmière auprès d'elle, me communiquant le bulletin de santé.

Le dimanche, je fis un saut rue de l'Alboni.

— Vous arrivez pile, dit Hélène, tout agitée. Elle est en train de téléphoner. On vient de l'appeler de Cannes, d'après ce que j'ai compris, et elle ne va pas tarder à rechuter. Elle est dans tous ses états.

A peine avait-elle achevé sa phrase que des portes battirent et Angela, les traits bouleversés, passa en trombe devant nous, sans nous accorder un regard, et courut se réfugier dans sa chambre. Je chargeai Hélène de s'occuper d'elle, me précipitai au téléphone et appelai les *Quatre Pins*. L'appel ne pouvait provenir que de là. En effet. Je demandai à parler à Mᵐᵉ Alderton et la voix de circonstance d'une bonniche m'informa que Mᵐᵉ Alderton était décédée en fin de matinée. C'était de la part de qui, s'il vous plaît ? Je raccrochai sans répondre.

*

— Je sais bien que ce n'est pas vrai, dit Angela un peu plus tard, relativement apaisée, mais la voix altérée.

Nous étions seuls, elle et moi, dans sa chambre

— ... C'est toujours la formule qu'on emploie en pareil cas, l'éternel boniment : état aggravé, mais non désespéré ; rentrez tout de suite...

Oh! on lui avait doré la pilule. Elle haussa les épaules.

— ... Mme Alderton est certainement morte, mais on me le cache. C'est idiot. Je finirai bien par l'apprendre...

D'un geste las, elle se passa la main sur les yeux puis, en me regardant :

— Je voudrais... partir demain... pour Cannes

— Qui vous en empêche ? dis-je. Vous n'êtes pas gardée à vue.

Un silence s'établit entre nous. Un long silence

— Je voulais vous dire, articula-t-elle enfin, pour ces bijoux... Agissez comme vous l'entendez.

— C'est tout entendu, Angela...

Je me levai et allai regarder par la fenêtre la tour Eiffel dorée par la caresse du soleil.

— J'estime qu'ils ont assez fait de victimes comme ça. Si je cassais le morceau, qu'est-ce que la compagnie d'assurances, par exemple, en aurait de plus, maintenant que Mme Alderton est... je veux dire va certainement être trop loin pour que la justice l'atteigne ? Finalement, il n'y aurait qu'une victime supplémentaire. Vous, Angela, qui souffririez de voir sali le nom de celle qui, pour vous, reste votre bienfaitrice... Vous en faites pas, continuai-je. Vous pouvez courir tranquille au chevet de Mme Alderton

Dans quelque temps, je confectionnerai un pacson bien ficelé et j'irai le balancer dans la Seine.

Je la sentis qui venait se placer derrière moi.

— Merci pour Mme Alderton, souffla-t-elle. Vous savez. Tout s'est passé entre Mme Alderton et Dubaille.. Il n'y a que quelques mois qu'elle m'a tout avoué... Je n'ai pas été complice... j'ignorais tout

— Je n'en doute pas.

— Vous... je voudrais vous dire aussi... vous demander... au sujet de l'autre soir... pourquoi n'ai-je pas tiré ?

— Vous appelez ça ne pas avoir tiré, vous ? ricanai-je. Allez interroger Vivonnet.

— Ne me parlez pas de ce sale type. Je ne vous en parle pas, moi ! ..

Elle se glissa à mes côtés et parla à mon reflet, dans la vitre ·

— Pourquoi n'ai-je pas tiré ?

— Vous le savez bien.

— Oui, je le sais. Et vous aussi.

— Oui, peut-être. Seulement, voilà... Ça s'est mal embringué, Angela.

— Quelque chose a cloché dès le début. Quoi donc ?

— Les bijoux, peut-être. Ça nous a empêchés d'être sincères envers nous-mêmes, d'être vrais. Tiens ! c'est drôle, ce que je viens de dire là !

— Moi, je trouve plutôt que c'est triste. Cette sale ferraille   ce verre infect. J'aimerais... je... dites-moi pourquoi je n'ai pas tiré

— Parce que ça n'aurait rien arrangé.

— Et pourtant, j'ai tiré sur cet homme.

Et ça n'a rien arrangé non plus. Le problème restait le même. Pour nous.

Alors, c'est insoluble ?

— Oui, c'est insoluble.

— Peut-être que, plus tard...

— Je ne sais pas.

— Dommage que ça se soit mal embringué, comme vous dites, dès le début, chuchota-t-elle. C'est bizarre. Nous débattons d'une question, nous pensons à une autre, et les mêmes mots conviennent...

Quand elle me dit : « Partez, maintenant », je l'entendis à peine.

Elle quitta Paris le lendemain, pour aller enterrer l'honorable Mme Barbara Alderton.

« Peut-être que, plus tard... » Je ne l'ai jamais revue.

FIN

DÉJA PARUS DANS LA MÊME COLLECTION

VIENNENT DE PARAÎTRE

Achevé d'imprimer le 20 octobre 1980
sur les presses de l'Imprimerie Bussière
à Saint-Amand (Cher)

Nº d'impression   1581
Dépôt légal   4e trimestre 1980.
Imprimé en France

PUBLICATION MENSUELLE